中西康裕
Yasuhiro Nakanishi 監修

Gregory Patton 英文監訳

こんなに面白い！　簡単に理解できる！

英語対訳で読む日本の歴史

JIPPI Compact

実業之日本社

PREFACE

The purpose of this book is to read Japanese history in simple English.

With this book, you can review the Japanese history you have already learned and you can study English as well! You can kill two birds with one stone!

In this book, every English and Japanese sentence is numbered and it is easy to compare English with Japanese. By doing so, you can review Japanese history and study English. Many English words and phrases are underscored and explained in Japanese, which will help you with reading difficult sentences.

Native speakers of English, Japanese children returning from English speaking countries and so on can also learn Japanese history with this book. We also recommend this book very highly to people who are interested in Japanese history and are also good at English.

In this book, you can learn special terms used in Japanese history only by reading English. For example, we carefully describe the special terms like ʻ*Daijo-daijin* (grand minister of state)ʼ , so you will read them and learn how to pronounce the terms in Japanese and their English meanings at a glance. This book will be more fun when you read it with interest in how to express in English those special terms used in Japanese history.

Isnʼt it cool to say,ʻʻIʼm reading Japanese history in Englishʼʼ?

Iʼd like to express my special thanks to supervising editor Prof. Nakanishi Yasuhiro, Mr. Gregory Patton, Mr. Andrew McAllister, the editors at MYPLAN, and Mr. Ogino Mamoru of Office ON.

The writer ／ MYPLAN & Mori Satoshi

はじめに

　本書は日本史を平易な英語で読むための本です。

　かつて学んだ日本史のおさらいをしながら、英語の学習もできるのです。そんな、一冊で二度おいしいのが本書なのです。

　すべての英文、和訳文にそれぞれ番号をつけて、英文と和訳文を対応しやすくしてあります。そうすることで、日本史のおさらいと英語の学習ができます。また、英単語や語句の多くに下線を引いて、日本語の説明をつけました。それはわかりにくい英文を読むときのヒントとなるでしょう。

　英語を話す外国の方や日本人の帰国子女には、本書で日本の歴史を学んでもらうことができます。そのほか、日本史に興味のある英語が得意な方々にもとてもオススメです。

　また、英語を読むだけで日本史用語を学ぶことができるようにしました。たとえば、「太政大臣」は「*Daijo-daijin*（grand minister of state）」と表記して、日本語の読みと英語の意味が一目でわかるようにしています。「日本史に出てくるあの用語は英語で何というのだろう？」と興味・関心を持って読んでいただくと、本書をより楽しめると思います。

　「日本史を英語で読んでいるんだ」なんて、ちょっとかっこよくありませんか？

　監修をしていただいた中西康裕先生、Gregory Patton 先生、Andrew McAllister 先生、編集のマイプランのみなさん、そしてオフィス ON の荻野守さんに、この場を借りて厚く御礼申し上げます。

執筆／マイプラン & 森智史

新版 英語対訳で読む日本の歴史　　　Contents

Chapter 2

Medieval Times ----- The Time of Samurai, the Time of Wars
《第2章》 中世 ▶ 武士の時代、争乱の時代

Chapter 3 **Pre-modern Times** ----- The Unification of Japan and the Rise of Common People
《第3章》 近世 ▶ 天下統一と庶民の台頭

Chapter 4

Modern Times ······ Japan in the International Community
《第4章》 近代 ▶ 国際社会の中の日本

Chapter 5

Present Times ----- Global Society and Japan
《第5章》 現代 ▶ グローバル社会と日本

装幀／杉本欣右
本文まんが／あおむら純
DTP ／サッシイファム・クリエイティブ
本文執筆・編集／マイプラン & 森智史
英文監訳（増補分） ／ Andrew McAllister
校正／くすのき舎
編集協力／荻野守（オフィス ON）

Chapter 1

Ancient Times

From the Birth of Japan to the Time of Nobles

《第1章》
古代
日本の誕生から貴族の世の中

1. The Birth of the Japanese Islands

①About one million years ago, the Earth entered the ice
　　約100万年前　　　　　　　　　　　　　　　入った　　氷河時代(期)

age. ②Large animals like Naumann's elephants and
　　　　　　　　　　　　　　ナウマンゾウ

mammoths were living in Japan at that time because
マンモス

Japan was part of the continent. ③People caught those
　　　　　～の一部　大陸

elephants using chipped stone tools. ④They lived behind
　　　　～を使って　打製石器　　　　　　　　　　　岩かげ

rocks and used fire. ⑤The period when people used

chipped stone tools is called the Old Stone Age.
　　　　　　　　　　　　　　　旧石器時代

⑥About ten thousand years ago, the ice age was over
　　約1万年前　　　　　　　　　　　　　　　　　終わった

and the Japanese Islands were cut off from the continent
　　　日本列島　　　　　　　～から切り離された

by a rise in sea level. ⑦It is said they were almost
海水面の上昇によって

the same shape as now.

⑧We now think that our oldest ancestor was
　　　　　　　　　　　最古の人類

Australopithecus, who lived about four million years
アウストラロピテクス　　　　　　　　　　　400万年前

ago. ⑨They walked upright on two legs and made chipped
　　　　　　　　　直立して　　2本足で

stone tools.

⑩Java man and Peking man came into being five hundred
　ジャワ原人　　　ペキン原人　　出現した　　　50万年前

12

thousand years ago and the Neanderthal, two hundred
　　　　　　　　　　　　ネアンデルタール人　　20万年前

thousand years ago. [11] Forty or fifty thousand years ago
　　　　　　　　　　　　　　　4万〜5万年前

appeared Cro-Magnon, who is our direct ancestor. [12] We
あらわれた　クロマニヨン人　　　　　　　　直接の　祖先

can find from their cave paintings that Cro-Magnon
〜から知る　　　洞くつの壁画

made stone tools, hunted and fished.

---

1. 日本列島の誕生

[1]今から約100万年前、地球は**氷河時代**に入りました。[2]このころ日本列島は大陸と地続きでナウマンゾウやマンモスなどの大形の動物が住んでいました。[3]人々は**打製石器**をつけたやりなどを使ってナウマンゾウなどをつかまえていました。[4]人々は岩かげなどに住み、火を使って暮らしていました。[5]このように打製石器を使って、狩りや採集をしていた時代を、**旧石器時代**と呼びます。

[6]今から約1万年前、氷河時代が終わると、海水面が上昇し、これまで大陸の一部であったところが島となりました。[7]それはほぼ現在と同じ形だったようです。

[8]現在知られている最古の人類は、今から約400万年前に生きていた**アウストラロピテクス**とされています。[9]彼らは2本足で直立して歩き、打製石器をつくっていました。[10]約50万年前には**ジャワ原人、ペキン原人**、約20万年前には**ネアンデルタール人**と呼ばれる人類があらわれました。[11]約4万〜5万年前には、現在の人類の祖先にあたる**クロマニヨン人**があらわれました。[12]彼らが住んでいた洞くつの壁画から、石器をつくり狩りや漁を営んでいたようすを知ることができます。

2.Jomon Culture

① An earthenware culture was born when the Japanese
土器 生まれた 日本列島

Islands were cut off from the continent about ten
大陸

thousand years ago. ② This earthenware has patterns of
1万年前 縄の文様

rope on the surface, so we call it Jomon ware. ③ The
表面に 縄文土器

period from about ten thousand years ago to about the

4th century B.C.(before Christ) is called the Jomon
紀元前4世紀 キリスト前→紀元前 縄文時代

period. ④ As people came to be able to cook with the
できるようになった ～を使って

earthenware, their food life was enriched.
豊かになった

⑤ People started to grow plants in this period, but
育て始めた

agriculture was not developed. ⑥ They lived by hunting,
農業 発達する 狩り

fishing and gathering. ⑦ They made pit houses and lived
漁 採集 竪穴住居

in them on the waterfront where it was easy to get
水辺に

something to eat. ⑧ Shell mounds, where they threw out
食べるもの 貝塚 捨てた

the bones of animals and seashells, were formed near
骨 貝がら 形成された

those colonies. ⑨ They also made clay figures that are
集落 土偶

called dogu. ⑩ Most of them were modeled on women
～をモデルにする

and they were used to <u>keep off evil spirits</u> and to <u>pray</u>
邪悪な魂を遠ざけておく

<u>for the rich supply of food</u>. [11]There seems to have been
食物の豊かさを祈る

<u>no gaps between the rich and the poor</u> and no
貧富の差

<u>differences in social standing</u> because all the dead were
身分(社会的立場)の違い

<u>buried</u> equally in the shell mounds or in <u>mass graves</u>.
～に埋葬する　　　　　　　　　　　　　　　　　　　　　　　共同墓地

2. 縄文文化

[1]約1万年前に日本列島ができたころ、土器を使う文化が生まれました。[2]この土器は表面に縄目の文様がつけられることが多いため**縄文土器**と呼ばれています。[3]約1万年前から紀元前4世紀ごろまでを**縄文時代**といいます。[4]縄文時代には、土器を用いてものを煮たきできるようになり、食生活は以前より豊かになりました。

[5]また縄文時代には、植物の栽培が始まりましたが、農耕はあまり発達しませんでした。[6]人々は狩りや漁や採集で生活していました。[7]人々は食料が得やすい海岸や水辺に**竪穴住居**をつくって住みました。[8]集落の近くには、動物の骨や貝がらなどをまとめて捨てた**貝塚**ができました。[9]また、**土偶**と呼ばれる人形もつくられました。[10]土偶は女性の姿をかたどったものが多く、魔よけや食物の豊かさを祈るのに使われました。[11]縄文時代には、人々が貝塚や共同墓地に平等に葬られている様子から、貧富の差や身分の違いは存在していなかったと考えられています。

3. Yayoi Culture

① In the 4th century B.C., rice farming was first
紀元前4世紀　　　　　　　　稲作　　　　　　　　まず〜に紹介された
introduced to northern *Kyushu* by people from the
continent. ② It spread to eastern Japan quickly.
　　　　　　　〜に広がった
③ Metalware was also introduced to Japan. ④ There
金属器
were swords, pikes, mirrors and bells made of bronze.
　　　剣　　　矛　　　鏡　　　　　鐸　　〜製の　　青銅
⑤ The swords and the pikes were used not only as
weapons but also as treasures for festivals. ⑥ Ironware
武器　　　　　　　　宝物　　　　　　　　　　　　鉄器
was used as weapons but it was also used to make
wooden farm tools, axes and rowboats.
　　　　農具　　　おの　　　舟
⑦ When rice farming and metalware were introduced,
people began to make high-quality auburn earthenware.
　　　　　　　　　　　　上質の　　赤褐色の
⑧ This earthenware is called *Yayoi* ware. ⑨ The period
弥生土器
from the 4th century B.C. to the 3rd century A.D.(of the
紀元前4世紀　　　　　　　紀元後3世紀
Christian Era) is called the *Yayoi* period.
西暦(キリスト紀元)年　　　弥生時代
⑩ Rice farming changed the structure of society very
社会のしくみ
much. ⑪ People settled around rice paddies and formed
定住した　　　　　　　　　　　つくった

16

their own <u>communities</u>. ^⑫ Among them appeared a
　　　　　　むら

leader who managed their teamwork. ^⑬ Rich-poor gaps
リーダー、有力者　管理した　　　　　共同作業　　　　貧富の差

seem to have arisen in this period.

---

3. 弥生文化

^①紀元前4世紀ごろ、大陸から渡来した人々によって、**稲作**がまず九州北部に伝えられました。^②そして、急速に東日本にまで広まりました。

^③金属器も日本に伝わりました。^④青銅器には、銅剣・銅矛・銅鏡・銅鐸などがありました。^⑤銅剣や銅矛は武器としても使われていましたが、主に祭りのための宝物として用いられました。

^⑥鉄器は、武器に使われたほか、木製の農具やおの、そして舟などをつくる工具としても使われました。

^⑦稲作や金属器が伝わったころ、赤褐色の上質の土器がつくられるようになりました。^⑧この土器は**弥生土器**と呼ばれました。^⑨弥生土器が使われた紀元前4世紀から紀元後3世紀ごろまでを**弥生時代**といいます。

^⑩稲作の開始によって、社会のしくみは大きく変化しました。^⑪人々は水田のまわりに定住して、**むら**をつくりました。^⑫むらの中には、共同作業の中心となる有力者があらわれました。^⑬このころから貧富の差も出てきたと考えられています。

4. A Lot of Small States

① In the *Yayoi* period, communities quarreled about water
弥生時代　　　　　　　　　　　　むら　　　　　　　　　　　　〜をめぐって争った

and land that was suitable for rice farming. ② The leaders
　　　　　　〜に適した土地　　　　　　　　　　　　　　　　　　指導者、有力者

of those communities later became thanes or kings.
　　　　　　　　　　　　　　　　　　　　　　豪族

③ In the quarrels, powerful communities defeated other
　　　　　　　　　　力のある、勢力の強い　　　　　　負かす

ones and ruled them, and they grew to be small states.
　　　　　　　　　　　　　　　　　　　　　　　　　　　　　　クニ

④ In this way, a lot of small states which kings or
このようにして

thanes ruled were formed.
　　　支配した

⑤ In history books of China, Japan around the era was
　　歴史書　　　　　　　　　　　　　　　　その時代→紀元前後の

called *Wa* and there were more than 100 small states.
倭

⑥ Some of them sent emissaries to China. ⑦ The king of
　　　　　　　〜に使いを送った

the state, *Na-no-kuni*, in *Wa* sent emissaries to Houhan
　　　　　　奴国　　　　　　　　　　　　　　　　　　　　　　　　後漢

in the middle of 1st century and he was given a gold
　　　　　　　　　　　　　　　　　　　　　　　　　　　　　　金印

seal by the Emperor. ⑧ A gold seal inscribed with *Kan-*
印

no-wa-no-na-no-kokuou was found in the island,
漢委(倭)奴国王

Shika-no-shima, and it is said to be this seal.
志賀島

⑨ The Chinese history book, *Gishi-wajin-den*, says that
　　　　　　　　　　　　　　　　『魏志倭人伝』

there was a state named *Yamatai* state and its queen
邪馬台国　　　　　　　　　　女王卑弥呼

Himiko ruled more than 30 small states. [10] She sent

emissaries to the capital of Wei and was given the title
魏の都（Weiは魏の中国名）　　　　　　　〜という称号

of *Shin-gi-wa-ou*.
親魏倭王

---

4. 小国の分立

[1] 稲作が広まった弥生時代の社会では、稲作に適した土地や用水をめぐって、むらとむらの間に争いが起こりました。[2] むらの有力者は、やがて人々を支配する**豪族**や**王**へと変わっていきました。

[3] むら同士の戦いの中で、勢力の強いむらは周辺のむらを従えて、小さな**クニ**へ成長していきました。[4] このようにして、王や豪族の支配する小国が数多く存在するようになりました。

[5] 中国（漢）の歴史書からは、紀元前後の日本は**倭**と呼ばれていて、100余りの小さな国があったことを読みとることができます。[6] その中には中国に使いを送った者もいたと記されています。[7] 1世紀中ごろには、日本の奴国の王が後漢に使いを送って、皇帝から金印を与えられたという記録もあります。

[8] 志賀島（福岡県）で「漢委（倭）奴国王」という文字が刻まれた金印が発見されており、このときの金印であろうといわれています。

[9] 『魏志』の倭人伝には、日本に**邪馬台国**という国があり、女王**卑弥呼**が倭の30余りの小さな国々を従えていたと記されています。[10] また、卑弥呼は使いを魏の都に送り、「親魏倭王」という称号を授かったことも記されています。

2世紀後半の倭では争いが絶えず、邪馬台国でも戦いが続きました。

そこで、卑弥呼が邪馬台国の女王になりました。

卑弥呼は占いやまじないが得意で、神のお告げにより政治をすることができました。

卑弥呼は人前には姿を見せず、卑弥呼の弟が彼女の言葉を人々に伝えました。

Here's a gift from our Queen *Himiko*.
卑弥呼様からの贈り物を持ってきました。

Fine job.
感心であるぞ。

魏の皇帝からは「親魏倭王」の称号と金印、銅鏡などが授けられました。

239年、卑弥呼は使いを送りました。

By the way, where was the *Yamatai* state?
ところで、邪馬台国ってどこにあったの？

魏志倭人伝

北九州説

畿内（大和）説

邪馬台国のことは『魏志』の倭人伝に記されていますが、いまだに邪馬台国があった場所は謎であり、北九州説と畿内（大和）説があります。

I'm the king!
わしが王だ！

No. I am!
いや、俺だ！

卑弥呼が亡くなると、邪馬台国は再び乱れました。

I'm the new queen.
私が新しい女王よ。

卑弥呼の娘、壱与（台与）を立てて、争いがおさまりました。

21

6. Ko-fun and Yamato State (Ancient Burial Mounds and Yamato State)

① In the late 3rd century, a powerful state was born
3世紀後半　　　　　　ある強力な国

around *Yamato*. ② This state is called *Yamato* state and
大和　　　　　　　　　　　　　　　　　大和国家

its government is called the *Yamato* Court. ③ It was a
政府　　　　　　　　　　大和朝廷

government with a king at its center and was made up
王を中心とした　　　　　　　　　　　　　～からなる、～から作られる

of powerful thanes in *Kinki*. ④ The king of the *Yamato*
豪族　　　　　近畿

Court ruled the kings from *Kyushu* to southern *Tohoku*
東北地方南部

in the 5th century and was called the great king.
大王

⑤ In this period, powerful kings and thanes were buried
～に葬られた

in large tombs covered with large mounds of earth.
大きな墓　　　～でおおわれた

⑥ This kind of tomb is called *Ko-fun*. ⑦ *Daisen Ko-fun*
古墳　　　　　大仙古墳

in *Osaka* is as long as 486 meters and one of the
～も(の長さ)

world's largest. ⑧ This style of burial mounds is called

Zenpo-koen-fun (keyhole-shaped tomb mound). ⑨ It
前方後円墳

started being used mainly in *Yamato* in the late 3rd
使われ始めた　　　主に

century, and it came to be used all over the country.
各地で

⑩ They entombed bronze mirrors and iron weapons in
(墓に)納めた

the *Ko-fun* as well as the dead body. ⑪ Clay figures
　　　　　　 ~だけでなく　　　遺体
called *Haniwa* were put around *Ko-fun*.
　　　 はにわ　　　 置かれた

6. 古墳と大和政権

①3世紀後半ごろ、大和（奈良県）を中心とする地域に強力な国が生まれました。②この国を**大和国家**、その政府を**大和朝廷**と呼んでいます。③大和朝廷は、王を中心にして、近畿地方の有力な豪族によってつくられていました。④大和朝廷の王は、5世紀には九州から東北地方南部までの各地の王を従えて、**大王**と呼ばれるようになりました。

⑤このころ、有力な各地の王や豪族は、土を高く盛り上げてつくった大きな墓に葬られるようになりました。⑥このような墓を**古墳**といいます。⑦大阪府にある**大仙古墳**は、全長が486 mもある世界最大級の墓です。⑧形は前方後円墳です。⑨前方後円墳は、3世紀後半に大和を中心につくられはじめ、各地でも使われるようになりました。⑩古墳には遺体とともに銅鏡や鉄製の武器などが納められました。⑪古墳のまわりには、**はにわ**と呼ばれる焼き物が置かれました。

7. Torai-jin (Immigrants from the Korean Peninsula) Introducing the Continental Culture

①In the 4th century, there were conflicts between the
4世紀   北部と南部の対立
north and south of China. ②On the Korean Peninsula,
                                                  朝鮮半島
Goguryeo unified the northern part and became
高句麗   統一した   北部
powerful. ③Baekje and Silla came into being in the
          百済(バクジ) 新羅   現れた
southern part. ④Yamato state expanded into the
Korean Peninsula. ⑤According to the Chinese history
                   ～によると
book, So-jo, five kings of Wa sent emissaries to the
     宋書   五王   倭 ～に使いを送った
Southern Court of China. ⑥The five kings tried to be
南朝
recognized as the kings of Wa and to be allowed to rule
～として認められる   ～するのを許してもらう
the southern part of the Korean Peninsula.

⑦Wa came to have close relationships with the states
   ～するようになる ～と親しい関係をもつ
on the Korean Peninsula and many people immigrated
                                              ～へ移住した
into Wa from there. ⑧These people are called Torai-
                                                渡来人
jin. ⑨They introduced the superb culture of the
          紹介した   優れた文化
continent such as farming techniques. ⑩They also
                   農業技術
taught the techniques of raising silkworms and
                              養蚕

making <u>cloth</u> and the earthenware, *Sue-ki*. [11] <u>Chinese</u>
（織物）　　　　　　　　　　　　　　　　　　（須恵器）　　（漢字）

<u>characters</u>, <u>Confucianism</u> and <u>Buddhism</u> were
　　　　　　　（儒教）　　　　　　　（仏教）

introduced, too. [12] *Yamato* state used the <u>knowledge</u>
　　　　　　　　　　　　　　　　　　　　　　　　　　（知識）

and techniques of the *Torai-jin* to <u>strengthen its hand.</u>
　　　　　　　　　　　　　　　　（支配力を強めるために）

7. 大陸文化を伝えた渡来人

[1] 4世紀ごろ、中国では南と北に分かれて国々が対立していました。[2] 朝鮮半島では、高句麗が北部を統一して勢力をのばしました。[3] 南部では百済と新羅がおこりました。[4] 大和国家は朝鮮半島に進出しました。[5] 『宋書』には、倭の五王（大和国家の大王）が、中国の南朝に何度も使いを送ったという記述があります。[6] 倭の王としての地位と朝鮮半島南部を支配する地位を認めてもらおうとしていたのです。

[7] 朝鮮半島の国々との交流がさかんになると、朝鮮半島から多くの人々が倭に渡来しました。[8] このような人々を**渡来人**といいます。[9] 渡来人は、農業技術など、大陸の進んだ文化を伝えました。[10] また、養蚕や織物をつくる技術、須恵器と呼ばれるかたい質の土器を伝授しました。[11] 漢字、儒教、仏教を伝えたのも渡来人でした。[12] 大和国家も支配力を強めるために渡来人の知識や技術を利用しました。

8. The Government of Prince Shotoku

① At the end of the 6th century, Sui unified China and
6世紀末　　　　　　　　　　隋　　統一した

built up a powerful empire. ② At the start of the 7th
作った　　　　　　　　　　　　　　　　7世紀初め

century, Tang unified China in place of Sui. ③ On the
　　　　　唐　　　　　　　　　　　　～にかわって

Korean Peninsula, Silla became more powerful in the

6th century and ruled the *Kara* area.
　　　　　　　　　支配した　　加羅地方

④ In Japan, in the 6th century, powerful thanes of
　　　　　　　　　6世紀

Yamato state continued to battle.
　　　　　　　争い続けた

⑤ Empress *Suiko* took the throne in 593 and then her
推古天皇　　　　即位した

nephew, Prince *Shotoku*, served as Regent. ⑥ He
おい　　　　　聖徳太子　　　　　　　　摂政

formed a centralized system with an Emperor at its
作った　　中央集権のしくみ　　　天皇を中心とする

center. ⑦ In this way, he wanted to survive the crisis at
　　　　　　　　　　　　　　　　　　危機を乗り越える

home and abroad.

⑧ Prince *Shotoku* made the system of *Kan-i-12kai*(12
　　　　　　　　　　　　　　　　　　冠位十二階

levels in officials' ranking). ⑨ He also established the
　　　　　　　　　　　　　　　　　制定した　　憲法

Constitution, *17jo-no-kenpo*, and showed the officials
　　　　　　　十七条の憲法　　　役人に何をするべきか示した

what to do. ⑩ He sent *Ono-no-Imoko* to China as an
　　　　　　　　　　小野妹子　　　　　　　　　　使者

emissary, _Ken-Zui-shi_, with a letter saying,"This is a
遣隋使 ～という内容の手紙

letter from the Emperor of the land of the rising sun to

the Emperor of the land of the setting sun. How are

you?"[11] It is said that the Emperor of Sui, Yang-di, got
煬帝 怒った

angry to read this.

---

8. 聖徳太子の政治

[1] 6世紀の末、**隋**が中国を統一し、強力な帝国をつくりました。
[2] 7世紀のはじめには隋にかわって**唐**が中国を統一しました。
[3] 朝鮮半島では、6世紀に新羅の勢力が強くなり、加羅地方は新羅の支配下に置かれました。
[4] 6世紀ごろの日本では、大和国家の有力な豪族の争いが続いていました。
[5] 593年、女帝の推古天皇が即位すると、おいの**聖徳太子（厩戸皇子）**が摂政になりました。[6] 聖徳太子の政策は天皇を中心とする中央集権のしくみを整えることでした。[7] そうすることで内外の危機を乗り越えようとしました。
[8] 聖徳太子は、**冠位十二階**の制度を定めました。[9] さらに**十七条の憲法**を制定して、天皇に仕える役人の心がまえを示しました。[10] また、小野妹子らを**遣隋使**として中国に派遣した際、「日の出づる国の天子が、手紙を日の沈むところの天子に送ります。お元気ですか。」と書いた国書を送りました。[11] 隋の皇帝煬帝は、この手紙を読んでたいへん腹を立てたといわれています。

9. Asuka Culture

① After the introduction of Buddhism from Baekje in
仏教の伝来

the 6th century people were surprised at the teachings
仏教の教え

of Buddhism. ② Buddhist culture flourished around the
栄えた　　　　　　　　　　　宮

palace in the *Asuka* area. ③ It is called *Asuka* culture.
飛鳥地方

④ The temples, *Asuka-dera* temple built by *Soga-no-*
飛鳥寺　　　　　　　　　　　建立された　蘇我馬子

Umako, *Shitenno-ji* temple and *Horyu-ji* temple built
四天王寺　　　　　　　　法隆寺

by Prince *Shotoku* are typical of this culture.
～を代表する

⑤ The Buddha statue, *Shaka-san-zon-zo* at *Horyu-*
仏像　　　　　　　　釈迦三尊像

ji temple is a work of *Kuratsukuri-no-Tori* and it
作品　　　　鞍作鳥

is similar to the sculptures of the Buddha in China.
仏像彫刻

⑥ *Kudara-kannon-zo* at *Horyu-ji* temple and
百済観音像

Miroku-bosatsu-zo at *Koryu-ji* temple are the well-
弥勒菩薩像　　　　　広隆寺

known sculptures of the Buddha in *Asuka* Culture.

⑦ *Tamamushi-no-zushi* at *Horyu-ji* temple and *Tenju-*
玉虫厨子　　　　　　　　　　　　　　　　　　天寿国繍帳

koku-shucho at *Chugu-ji* temple are famous works of
中宮寺　　　　　　　　　　工芸品

art as well.
同様に

⑧In *Asuka* culture, temples, sculptures of the Buddha
　　　　　　　　　　　　寺院
and works of art were made mainly by immigrants and
　　　　　　　　　　　　　　　　　　　渡来人
their descendants. ⑨Most of them received influence
　　子孫
from the culture of the Korean Peninsula, China, India
　　　　　　　　　　　　　　　　　　　　　　　　インド
and West Asia. ⑩*Asuka* culture was one with a rich
　西アジア　　　　　　　　　　　　　　　　　国際色豊かな
international flavor.

9. 飛鳥文化

①6世紀に百済から仏教が伝えられ、人々は仏教の教えに圧倒
されました。②宮があった飛鳥地方（奈良盆地南部）を中心に、
仏教をもとにした文化が栄えました。③これを**飛鳥文化**といい
ます。

④蘇我馬子が建立した**飛鳥寺**（奈良県）、聖徳太子が建立した**四
天王寺**（大阪府）や**法隆寺**（奈良県）がこの文化を代表する寺院で
す。

⑤法隆寺に納められている**釈迦三尊像**は、**鞍作鳥（止利仏師**）の
作品で、中国の仏像彫刻の影響がみられます。⑥法隆寺の**百済
観音像**や広隆寺（京都府）の**弥勒菩薩像**なども飛鳥文化を代表
する仏像彫刻です。⑦また、法隆寺の**玉虫厨子**や中宮寺の**天寿
国繍帳**は、飛鳥文化を代表する工芸品です。

⑧飛鳥文化の寺院建築や仏像彫刻、工芸品の製作は、渡来人や
その子孫が中心になって行なっていました。⑨その多くは、朝
鮮半島や中国、インドや西アジアの文化に影響を受けたものです。⑩飛鳥文化は国際色豊かな文化だったのです。

10. The Reformation of Taika

①Around the middle of the 7th century, Tang attacked
　　　　　　　　　7世紀の中ごろ　　　　　　　　　　　唐　　攻めた
Goguryeo. ②Japan had to hurriedly be ready for battle.
　　　　　　　　　急いで戦いの準備をしなければならなかった
③On the other hand, after Prince *Shotoku*'s death, the
　一方で
Soga family carried out the government autocratically in
蘇我氏　　　　　政治を行なった　　　　　　　　　独裁的に
the Court and people didn't like it.
朝廷
④In this surroundings, in 645, Prince *Naka-no-Oe* and
　このような情況で　　　　　　　中大兄皇子
Nakatomi-no-Kamatari defeated the *Soga* family and
中臣鎌足　　　　　　　　倒した
began to reform the political system. ⑤Prince *Naka-no-*
　　　　　政治のシステムを改革する
Oe wanted to form a centralized government by the
　　　　　　　　　　　　天皇による中央集権的な政治
Emperor. ⑥This is called the Reformation of *Taika*.
　　　　　　　　　　　　　　　大化の改新
⑦On the Korean Peninsula, Silla was trying to ruin
　　　　　　　　　　　　　　　　　　　　　　　　滅ぼす
Baekje. ⑧Japan sent a large army to the Peninsula to
　　　　　　　　　　～に大軍を送った
save Baekje. ⑨But Japan lost the battle of *Hakusuki-*
　　　　　　　　　　　　　　敗れた　　　　　　白村江
no-e heavily. ⑩After that, Prince *Naka-no-Oe* became
　　　　ひどく
Emperor *Tenji*. ⑪After his death, his brother, Prince
　　　　　　　　　　　　　　　　　　　　　　　　大海人皇子
Oama; and his son, Prince *Otomo*, fought for the
　　　　　　　　　　　大友皇子　　　　　　皇位をめぐって戦った

imperial title. [12] Prince *Oama* defeated Prince *Otomo* in

やぶった

672 in *Jinshin* Disturbance. [13] Prince *Oama* became

壬申の乱

Emperor *Temmu*.

天武天皇

---

10. 大化の改新

[1] 7世紀の中ごろ、唐が高句麗を攻めました。[2] 日本でも戦いに備える国づくりが急がれました。[3] 一方で、朝廷では聖徳太子の死後、蘇我氏が独裁的な政治を行ない、反発が高まっていました。

[4] このような情勢をみた**中大兄皇子**は、645年に**中臣鎌足**（のちの**藤原鎌足**）らと蘇我氏を倒し、政治の改革を始めました。

[5] 中大兄皇子は、天皇による中央集権的な政治を目指しました。

[6] この改革を**大化の改新**といいます。

[7] そのころ朝鮮半島では、新羅が百済を滅ぼそうとしていました。[8] 日本は百済を救うため、朝鮮半島に大軍を送りました。[9] しかし、**白村江の戦い**で大敗しました。[10] その後、中大兄皇子は即位して**天智天皇**となりました。[11] 天智天皇の死後、弟の**大海人皇子**と、子の**大友皇子**とがあとつぎをめぐって争いました。[12] 672年に大海人皇子が大友皇子をやぶり、この戦いを**壬申の乱**といいます。[13] 大海人皇子は**天武天皇**となりました。

11. Jinshin Disturbance（壬申の乱）

天皇の後継をめぐり、天智天皇と弟の大海人皇子は対立していました。

死の床についた天智天皇は、大海人皇子に皇位継承を告げました。

暗殺の危険を感じた大海人皇子は吉野に逃れました。

天智天皇は、息子の大友皇子を後継者に指名して亡くなりました。

大海人皇子は東国へ向かいました。

Defeat Emperor *Otomo*!
大友皇子を討て〜！

Thanks!

東国の豪族たちは、大海人皇子の味方になり、近江に攻め上りました。

Defeat Prince *Oama*!
大海人皇子を討て〜！

No. It won't pay.
割りが合わないからイヤだね。

672 年

Prince *Oama* triumphed!
大海人皇子の大勝利〜！

大友皇子も西国の豪族を動員しましたが、あまり集まりませんでした。

ついに 672 年 7 月、両軍が激突しました。

Regrettable indeed …
無念だ…

I continued to carry out the government with the Emperor at its center.
私は天皇中心の政治をいっそう進めたのです。

大友皇子は自ら命を絶ちました。

大海人皇子は都を飛鳥に移し、673 年に即位して天武天皇になりました。

33

12. The Birth of Ritsu-Ryo State

① *Taiho-Ritsu-Ryo* Code was enacted in 701. ② With
大宝律令　　　　　　　　　　　制定された

that, they carried out the government on the basis of
律令に基づいて

Ritsu-Ryo Code and formed the centralized system
中央政権のしくみ

with an Emperor at its center. ③ This centralized state
天皇を中心とした

is called *Ritsu-Ryo* state. ④ The Emperor and nobles,
律令国家　　　　　　　　　　　　　　　　　　貴族

who had been thanes in *Kinai*, played central roles in
豪族　　　　畿内　　政治において中心的な役割を果たした

the government.

⑤ In *Ritsu-Ryo* state, *Jingi-kan* (the Department of
神祇官

gods) and *Daijo-kan* (the Department of politics)
太政官

were in the center. ⑥ Under *Daijo-kan* were eight *Sho*.
～の下に　　　　　　　　　　省

⑦ They placed *Koku*, *Gun* and *Ri* in the rural areas.
国　　　郡　　　里　　　　地方

⑧ *Kokushi*, *Gunji* and *Richo* governed their places.
国司　　　郡司　　　　里長　治めた

⑨ Land and people belonged to *Kuni* (*Kochi-komin*
～に属した　　　　　　公地公民

system). ⑩ They made family registers every six years,
戸籍　　　　　　　6年ごとに

gave people who were age six or over *Kubun-den* (the
6歳以上の人　　　　　　　　口分田

divided farm lands) and made them return the land
分割された　　　　　　　　　　　　　　　　　　返す

34

Kuni when they died (*Handen-shuju* system).
　　　　　　　　　　　班田収授法

⑪There were taxes named *So*, *Cho* and *Yo*. ⑫People
　~という名の税があった　　　　租　　調　　　庸

who got *Kubun-den* had to pay *So*. ⑬And men had
　　　　　　　　　　　　　　　　　　　　　男子

to pay local specialties as *Cho* and cloths as *Yo*.
　　　地方の特産物　　　　　　　　　　　　布

⑭Moreover, men had to do hard labors such as *Zoyo*,
　さらに　　　　　　　　　　　　　　　　　　　　雑徭

Sakimori and *Eji*.
防人　　　　　衛士

---

12. 律令国家の成立

①701 年に**大宝律令**（たいほうりつりょう）が制定されました。②これにより律令に基づいて政治を行なう国家が完成し、天皇中心の中央集権のしくみが整いました。③このような中央集権の国家を**律令国家**といいます。④天皇と貴族となった畿内（きない）の有力な豪族が中心となって政治を行ないました。

⑤律令国家では、まず中央に、**神祇官**（じんぎかん）と**太政官**（だいじょうかん）の**2 官**が置かれました。⑥太政官の下には**8 省**がつくられました。⑦地方には国・郡（ぐん）・里（り）を置きました。⑧**国司**（こくし）、**郡司**（ぐんじ）、**里長**（りちょう）（さとおさ）がそれぞれを治めました。

⑨土地と人民は国のものとされました（**公地公民**（こうちこうみん））。⑩そして 6 年ごとに戸籍（こせき）をつくり、6 歳以上の男女に**口分田**（くぶんでん）を与え、本人が亡くなると国に返させる**班田収授法**（はんでんしゅうじゅのほう）を行ないました。⑪税には、租（そ）、調（ちょう）、庸（よう）というものがありました。

⑫口分田を与えられた人々には、**租**が課せられました。⑬そのほか男には**調**として地方の特産物を、**庸**として布を納めさせました。⑭また**雑徭**（ぞうよう）や**防人**（さきもり）、**衛士**（えじ）などの負担もありました。

13. Heijo-kyo

① After the structure of the *Ritsu-Ryo* state was almost
律令国家のしくみがほぼ完成すると

completed, the Court founded a new capital in *Nara* in
つくった

710 on the model of Tang's capital, Changan. ② This
〜にならって   長安

capital is *Heijo-kyo* and this period is called the *Nara*
平城京   奈良時代

period.

③ In *Heijo-kyo*, the streets were set out neatly in a grid
ごばんの目のようにきちんと整備された

from north to south and from east to west. ④ The east

side of *Suzaku-oji* street was *Sa-kyo* and the west side,
朱雀大路   左京

U-kyo. ⑤ The block at the north end of *Suzaku-oji* street
右京   区画

was called *Heijo-kyu*.
平城宮

⑥ In the capital, some temples such as *Yakushi-ji*
薬師寺

temple and *Toshodai-ji* temple were built. ⑦ People
唐招提寺

bought and sold local products actively in the public
地方の産物   盛んに   公営の市場

market: *Higashi* market and *Nishi* market. ⑧ Currency,
東市   西市   貨幣

Wadou-kaichin, was issued.
和同開珎   発行された

⑨ The local area was divided into many *Kuni* and
地方   〜に分けられた

administrative institutions were placed in each *Kuni*.
役所

⑩ The governing institution, *Dazai-fu*, was established
朝廷の機関（である）　　　大宰府　　　設けられた

in *Kyushu* and *Taga-jo* castle was established in
多賀城

Tohoku. ⑪ Roads were laid out from the capital to local
道路は整備された

areas and stations with horses were placed along them.
馬を備えた駅

13. 平城京

①律令国家のしくみが整ってくると、朝廷は唐の都長安にならって、710年に奈良に新しい都をつくりました。②この都を**平城京**といい、この時代を**奈良時代**といいます。

③平城京は、東西・南北にごばんの目のように道路が整えられました。④**朱雀大路**の東側が左京、西側が右京と呼ばれました。

⑤朱雀大路の北のつきあたりの区画は**平城宮**と呼ばれました。

⑥都には、**薬師寺**や**唐招提寺**などの寺も建てられました。⑦公営の市場である東市・西市も開かれ、地方の産物などの売買が盛んに行なわれていました。⑧**和同開珎**と呼ばれる貨幣も発行されました。

⑨地方は多くの国に分けられ、国々には役所が置かれました。

⑩九州には**大宰府**が設けられ、東北地方には**多賀城**が築かれました。⑪都と地方を結ぶ道路も整備され、馬を備えた駅が設けられました。

14. The Changing of Land System

[1] In *Ritsu-Ryo* state, according to [〜に従って] the principle of [原則] *Kochi-komin* system, the law, *Handen-shuju-no-ho* [班田収授法], was enacted [制定された]. [2] The burdens of *So*, *Cho* and *Yo*, and of *Ro-eki* [労役] (physical labor) and *Hei-eki* [兵役] (military service) were so heavy that some peasants ran away [逃亡した]. [3] *Kubun-den* became in short supply [〜が不足するようになった] because of population increase [人口の増加] and expansion of ruined *Kubun-den* [荒廃した口分田の広がり] by natural disaster [自然の災害]. [4] So the government [朝廷(←政府)] encouraged [奨励した] people to bring new land into cultivation [土地を開墾すること].

[5] First, the government enacted *Sanze-isshin-no-ho* [三世一身法] in 723. [6] This was a rule [きまり] that people could own [所有する] the farmland [農地・耕地] for a certain fixed time [ある一定の期間] if they cultivated the land. [7] But this law was not effective [効果のある] because the land ruined again after the fixed time ended.

[8] Next, *Konden-einen-shizai-no-ho* [墾田永年私財法] was enacted in 743. [9] This was a rule that people could own the

cultivated land <u>forever.</u> ⑩ Nobles, temples and shrines
永久に

made peasants cultivate new land and <u>expanded</u> their
広げた

<u>private land.</u> ⑪ The principle of *Kochi-komin* had
所有地

already <u>collapsed</u> by the middle of the *Nara* period.
早くも崩れた

14. 土地制度の移り変わり

①律令国家では、公地公民の原則のもと、**班田収授法**が実施されていました。②**租・調・庸**や労役、兵役などの負担は重く、逃亡してしまう農民も出てきました。③人口の増加と、自然の災害による口分田の荒廃のため、口分田が不足するようになりました。④そこで朝廷は土地の開墾を奨励しました。
⑤朝廷は、まず723年に**三世一身法**を制定しました。⑥これはある一定の期間、開墾した土地の私有を認めるというきまりでした。⑦しかし、私有の期限が終わると土地は荒廃し、成果は見られませんでした。
⑧そこで、743年に**墾田永年私財法**が制定されました。⑨これは開墾した土地を永久に私有することを認めるきまりでした。⑩貴族や寺社などは、農民を使ってさかんに土地を開墾し、私有地を広げていきました。⑪こうして公地公民の原則は奈良時代の中ごろには早くも崩れていくことになりました。

15. Tempyo Culture

① During the *Nara* period, the emissaries, *Ken-To-shi*,
特使　　　　　　遣唐使

were sent many times and Japan had a close
～と親しい関係を持った

relationship with Tang, so culture affected by
唐　　　　　　　　　　　　～の影響を受けた

Buddhism and Tang's culture flourished in the capital.
栄えた

② This is called *Tempyo* culture because it was in full
天平文化　　　　　　　　　　　　　　最も栄えた

flourish in the *Tempyo* era.
天平時代

③ Emperor *Shomu* wanted to stabilize the country by
聖武天皇　　　　　　　　　安定させる

the force of Buddhism and built temples: *Kokubun-ji*
～の力で　　　　　　　　　　　　　　　　国分寺

temple and *Kokubun-niji* temple in each *kuni* and
国分尼寺

Todai-ji temple in the capital. ④ He also made a large
東大寺　　　　　　　　　　　　　　　　　　　大仏

statue of Buddha for *Todai-ji* temple.

⑤ Tang's priest, Jianzhen, came to Japan and worked for
僧　鑑真

the development of Buddhism. ⑥ *Toshodai-ji* temple
仏教の発展

and *Shoso-in* in *Todai-ji* temple are buildings that are
正倉院　　　　　　　　　　　　　　　　建築物

typical of *Tempyo* culture.
～を代表する

⑦ History books such as *A Record of Ancient Matters*
『古事記』

and *The Chronicles of Japan*, and the topography,
　　　『日本書紀』　　　　　　　　　　　　　　地誌

Fudo-ki, were edited in this period. [8] The anthology, *A*
『風土記』　　編集された　　　　　　　　　詩選集

Collection of a Myriad Leaves, has Japanese poems by
『万葉集』　　　　　　　　　　　　　　　和歌

Kakinomoto-no-Hitomaro, *Otomo-no-Yakamochi*,
柿本人麻呂　　　　　　　　　　大伴家持

Yamanoue-no-Okura and so on.
山上憶良

15. 天平文化

[1]奈良時代には、遣唐使が何度も送られ、唐との交流がさかんになったため、都では仏教と唐の文化の影響を受けた文化が栄えました。[2]この文化は、天平年間に最も栄えたので、**天平文化**と呼ばれています。

[3]聖武天皇は、仏教の力で国を安定させることを考え、国ごとに**国分寺**と**国分尼寺**を、都には**東大寺**を建てました。[4]また、**大仏**をつくり、東大寺にまつりました。

[5]唐の僧である**鑑真**は、日本に渡来し、仏教の発展に力を尽くしました。[6]**唐招提寺**や、東大寺の**正倉院**は、天平文化を代表する建築物です。

[7]奈良時代には、『**古事記**』や『**日本書紀**』、『**風土記**』がつくられました。[8]和歌集として『**万葉集**』もつくられ、**柿本人麻呂**や**大伴家持**、**山上憶良**らの作品がおさめられています。

16. Heian-kyo

From the late 8th century, the tug-of-war between
nobles and priests became more serious, so Emperor
Kammu embarked on political reforms. He moved
the capital from *Nara* to *Kyoto* in 794. About 400

years before the *Kamakura* shogunate are called the
Heian period.

The Court (government) often sent large armies to
the *Tohoku* area and tried to rule *Emishi*. *Emishi*
raised revolt and burned *Taga-jo* castle but Emperor
Kammu broke down *Emishi*'s resistance by appointing
Sakanoue-no-Tamuramaro as *Seii-tai-shogun*
(Barbarian Subduing General) and sending a large army.
At the start of the 9th century, *Saicho* established
Enryaku-ji temple on Mt. *Hiei* and spread *Tendai-shu*.
Kukai established the *Kongobu-ji* temple on Mt.
Koya and spread *Shingon-shu*. In these sects, prayers

and spells called *Kajikito* (faith healing) were done.
まじない 加持祈禱 信仰

⑨ The buddhist sects which respect *Kajikito* are called
重んじる

Mikkyo (esoteric Buddhism) and they were highly
密教 秘密の

valued among the imperial families and nobles.
皇族 貴族

16. 平安京

① 8世紀後半（奈良時代中ごろ）から、貴族と僧の間で勢力争いが激しくなったので、**桓武天皇**は、政治の改革に乗り出しました。② 794年には、都を奈良から京都へ移しました。③ この都を**平安京**といい、鎌倉幕府ができるまでの約400年間を**平安時代**といいます。

④ 朝廷（政府）は東北地方にたびたび大軍を送り、蝦夷を支配しようとしました。⑤ 蝦夷によって多賀城（宮城県）が焼かれる反乱も起こりましたが、桓武天皇は、**坂上田村麻呂**を征夷大将軍に任じて大軍を送り、蝦夷の抵抗をおさえました。

⑥ 9世紀はじめ、**最澄**は比叡山に延暦寺を建てて**天台宗**を広めました。⑦ **空海**は高野山に金剛峯寺を建てて**真言宗**を広めました。⑧ これらは、加持祈禱とよばれる祈りやまじないを行なうものでした。⑨ 加持祈禱を重んじる仏教を**密教**といい、皇族や貴族にもてはやされました。

17. The Sekkan Government

① *Fujiwara-no-Kamatari* (former *Nakatomi-no-*
藤原鎌足　　　　　　　前の　　中臣鎌足

Kamatari) and his descendants had greater power
　　　　　　　　　子孫

than the other nobles in the *Heian* period. ② They

arranged for their daughter to marry the Emperor and
娘を〜と結婚させた

their baby became a new Emperor. ③ From the middle
　　　　　　　　　　　　　　　　　10世紀中ごろ

of the 10th century, *Fujiwara* family members were

always appointed as *Sessho* (Regent) and *Kampaku*
つねに〜に任命された　摂政　　　　　　　　関白

(chief adviser). ④ This government is called regency
　　　　　　　　　　　　　　　　　　摂関政治

government. ⑤ Regency government is at their best at
　　　　　　　　　　　　　　　　　　　　全盛である

the start of the 11th century. ⑥ *Fujiwara-no-Michinaga*

and his son, *Yorimichi* were in the positions at that
　　　　　　　　頼通

time.

⑦ Powerful peasants in local areas went on cultivating
有力農民　　　　　　　　　　　　　開墾を進めた

and expanded their private land. ⑧ They dedicated the
広げた　　　　　私有地

land to the *Fujiwara* family and other powerful nobles

and temples to protect their rights to their own land.
　　　　　　〜に対する権利を守るために

⑨ This private land is called *Sho-en* and they got
　　　　　　　　　　　　　　　　荘園

privileges like *Fuyu-no-ken* (tax exemption) and
〜などの特権　　　不輸の権　　　　　免税

Funyu-no-ken (ban on admittance) over this land.
不入の権　　　　禁止　　　立ち入り

⑩ Around the same time, local government collapsed
同じころ　　　　　　　　地方の政治　　　　腐敗した

because most of the *Koku-shi* were keen about making
　　　　　　　　　　　　　　　〜に熱心だった

money.

---

17. 摂関政治

　①藤原鎌足（中臣鎌足）とその子孫は、平安時代になると他の貴族をしりぞけて力をのばしました。②藤原氏は一族の娘を天皇の后にし、生まれた子を天皇にしました。③10世紀中ごろからはつねに摂政・関白に藤原氏が任命され、政治の実権を握りました。④これを**摂関政治**といいます。⑤摂関政治は、11世紀の前半に全盛となりました。⑥**藤原道長・頼通**父子のころのことです。

　⑦地方の有力な農民は、開墾を進めて私有地を広げました。⑧自らの土地に対する権利を守るために、藤原氏をはじめとする有力な貴族や寺社などに土地を寄進しました。⑨このような私有地を**荘園**といい、**不輸の権**、**不入の権**などの特権を得ました。

　⑩このころ、私腹を肥やすことに熱心な国司が多くなり、地方の政治は乱れました。

18. Kokufu Culture

① In the 9th century, Tang weakened in China and
（9世紀）（唐）（弱る）
Japan stopped *Ken-To-shi* (Envoys to Tang). ② Tang
（遣唐使）（使者）
went into ruin at the beginning of the 10th century.
（滅びた）（10世紀）
③ After a while, Sung unified China. ④ On the Korean
（宋）（統一した）
Peninsula, Silla went into ruin and Goryeo was created.
（新羅）（高麗）（建国された）
⑤ From the end of the 9th century when *Ken-to-shi*
（9世紀終わり）
system came to an end, the lifestyle of nobles was fast
（終了した）（ライフスタイル）
returning to traditions. ⑥ It is called *Kokufu* culture.
（急速に日本化（←伝統へ回帰）していった）（国風文化）
⑦ Nobles lived in Japanese style houses called

Shinden-zukuri. ⑧ In art, the scenery of Japan and
（寝殿造）（日本の風景）
portraits came to be drawn. ⑨ They are called *Yamato-e*.
（人物）（大和絵）
⑩ Chinese characters were changed into *Kana* ones:
（漢字）（かな文字）
Katakana and *Hiragana*. ⑪ Therefore, literature made
（カタカナ）（ひらがな）（発達した）
progress. ⑫ Fine stories and essays were written by
（すぐれた物語や随筆）
women. ⑬ *Murasaki Shikibu* wrote *The Tale of Genji*
（紫式部）（『源氏物語』）
and *Sei Shonagon* wrote *The Pillow Book*. ⑭ *Ki-no-*
（清少納言）（『枕草子』）（紀貫之）

Tsurayuki and others edited *Collection of Old and*
『古今和歌集』
New Japanese Poetry.

⑮ Around this time, the teachings of *Jodo* became
浄土信仰
popular. ⑯ *Byodo-in-Ho-o-do* temple in *Uji* is an *Amida*
平等院鳳凰堂   宇治   阿弥陀堂
hall typical of this age.
この時代の代表的な

---

18. 国風文化

①9世紀、中国では唐の勢力が衰え、日本は遣唐使を停止しました。②唐は10世紀はじめに滅びました。③やがて宋が中国を統一しました。④朝鮮半島では新羅が滅んで高麗が建国されました。

⑤遣唐使が停止された9世紀の終わりごろから、貴族の間では生活や文化の日本化が進みました。⑥これを**国風文化**といいます。

⑦貴族は、**寝殿造**と呼ばれる住宅に住みました。⑧絵画では、日本の風景や人物が描かれるようになりました。⑨それらは**大和絵**と呼ばれました。⑩そして、漢字を変形して**カタカナ、ひらがなのかな文字**が生まれました。⑪文字が増えたことにより、文学が発達しました。⑫女性による物語や随筆などの優れた作品が登場しました。**紫式部**は『**源氏物語**』を、**清少納言**は『**枕草子**』を書きました。⑭**紀貫之**らは『**古今和歌集**』を編集しました。

⑮このころには**浄土信仰**が盛んになりました。⑯**宇治**（京都府）の**平等院鳳凰堂**は、この時期の代表的な阿弥陀堂です。

Column

Snake
ヘビ

The Gods That Are Disliked
忌み嫌われる神

Today, snakes are hated very much. People are very scared of them and often scream at the sight of them. People sometimes throw stones at them. There were, however, some earthenwares that were decorated with shapes of snakes in the *Jomon* period, and some bronze bells that had pictures of snakes drawn on them in the *Yayoi* period. It seems that ancient people had a feeling of snakes different from people today.

Japan came to have an agricultural culture because the rice cultivation reached during the *Yayoi* period. It was the water that was essential for rice cultivation. Generally, snakes like wetlands and, because of their looks, they were thought of as the children of the dragon, the god of water, or as messengers of it. Snakes came to be the symbol of religious belief as *Mizuchi* (Water Spirit).

So, various snakes appeared in ancient myths. For example, *Yamata-no-Orochi*(8-Branched Giant Snake) appeared as an evil god that interfered with agricultural work, and later, *Susa-no-O-no-Mikoto* killed it in *Izumo*. *Kusanagi-no-Tsurugi*(*Kusanagi* Sword) was taken out from its tail and was given to the Emperor's family as one of the three sacred treasures. Later, the sword was dedicated to the *Atsuta-jingu* Shrine in *Owari*(*Aichi* Prefecture). *Omiwa* Shrine whose spirit is Mt. *Miwa* that had strong ties with the Emperor's family also enshrines *Omononushi-no-Kami*, who was originally a snake.

今では姿を現しただけで悲鳴をあげられ、石を投げつけられ、すっかり嫌われものとなったヘビ。しかし、縄文時代には、ヘビを飾りにした土器がありました。弥生時代の銅鐸にはヘビが描かれているものもあります。どうも昔の人々は現代人とは違うヘビへの感情があったようです。

日本は、稲作農業の伝来により、弥生時代に農耕社会になったのですが、農耕に欠かせないものが水です。ヘビは水辺などの湿地を好み、その姿からも、水神の龍の子、あるいは龍の使者としてとらえられ、「ミズチ」として信仰の象徴になったのです。

ですから、神話の世界には多くのヘビが登場します。スサノオノミコトが出雲で退治したヤマタノオロチ(八岐大蛇)。これは農業を妨害する悪神として登場しますが、その尾から出たのがクサナギノツルギ(草薙の剣)で、三種の神器として天皇家に受け継がれ、そののち農耕を守護する尾張(愛知県)の熱田神宮に納められました。天皇家とゆかりの深い三輪山をご神体とする大神神社、ここでは大物主神をまつっていますが、大物主神もヘビでした。

48

Chapter 2

Medieval Times

The Time of Samurai, the Time of Wars

《第2章》
中世
武士の時代、争乱の時代

19. The Growth of Samurai and the Local Revolts

① When regency government was at its best, thanes
摂関政治　　　　　　　盛んであった

and powerful peasants in local areas revolted against
　　　　　　　　　　地方で　　　　　　　　　　　　〜に対して反乱を起こした

Koku-shi or struggled with each other for land. ②
　　　　　　争った　　　　　　　　　　　　　　　土地をめぐって

Among them, people who specialized in military arts
　　　　　　　　　　　　〜を専門にする　　武芸

were called *Bushi*(samurai), and they came into power.
　　　　　武士　　　　　　　　　　　　力をのばした

③ In the middle of the 10th century, *Taira-no-*
　　10世紀の中ごろ　　　　　　　　　　　平将門

Masakado raised a revolt in *Kanto* area and
　　　　　　　　反乱　　　　　　関東

Fujiwara-no-Sumitomo did the same thing in the
藤原純友

Seto inland sea. ④ But the Court broke them down by
瀬戸内海　　　　　　　　朝廷　　それらをおさえた

using other samurai. ⑤ Samurai formed *Bushi-dan*.
　　　　　　　　　　　　　　　形成した　武士団

⑥ Among the *Bushi-dan*, the *Gen-ji* family and the *Hei-*
　　　　　　　　　　　　　　源氏　　　　　　　　　平氏

shi family gained strength.
　　　　　勢力を得た

⑦ In the latter half of the 11th century, in *Tohoku*, battles

of thanes arose twice: *Zen-9nen-no-eki* and *Go-3nen-no-*
　　　　起こった　　前九年の役　　　　　　後三年の役

eki. ⑧ But *Minamoto-no-Yoshiie* broke them down with
　　　　　　源義家

samurai in *Kanto*, so the *Gen-ji* family got power in eastern Japan.

⑨ After that, in *Tohoku*, the <u>*Oshu-Fujiwara*</u> family gained
奥州藤原氏

strength. ⑩ They established the *Amida* hall, *Chuson-ji-*
中尊寺金色堂

<u>*Konjiki-do*</u> in *Hiraizumi*.
平泉

---

19. 武士の成長と地方の反乱

①摂関政治が盛んなころ、地方では豪族や有力な農民が国司に対抗したり、土地をめぐって互いに争うようになりました。②なかでも武芸を専門にする者は**武士**と呼ばれ、力をのばしました。

③10世紀の中ごろ、関東では**平将門**が、瀬戸内海では**藤原純友**が反乱を起こしました。④しかし、朝廷は武士の力によって反乱をおさえました。⑤武士は、**武士団**を形成しました。⑥武士団のなかでは、**源氏と平氏**の勢力が強くなりました。

⑦11世紀後半、東北地方で、**前九年の役、後三年の役**と呼ばれる二度の豪族の争いが起こりました。⑧しかし、**源義家**が関東の武士を率いてこれをしずめ、源氏は東日本で大きな勢力をもちました。⑨その後東北地方では、**奥州藤原氏**が勢力を強めました。⑩そして**平泉**（岩手県）に**中尊寺金色堂**を建てました。

20. The Insei（The Rule by the Cloistered Emperors）

① In the middle of the 11th century, *Gosanjo* became
11世紀の中ごろ　　　　　　　　　　　後三条
the Emperor. ② He carried out the government with the
　　　　　　　　　　　　　　　　　　　天皇を中心とする政治
Emperor at its center using middle and low grade
中・下級貴族
nobles. ③ He also seized illegal *Sho-en* and checked
　　　　　　　不法な荘園を没収した　　　　　調べた
farmlands in all over the country to tell *Sho-en* from
　　　　　　　　全国　　　　　　　　　　荘園と公領を区別する
Ko-ryo and to secure stable tax revenue.
　　　　　　安定した税収を確保する
④ Next Emperor *Shirakawa* went on to carry out the
次の　　　　白河天皇　　　〜し続けた
government with the Emperor at its center. ⑤ He
remained at the helm as a *Joko* (cloistered Emperor),
〜として実権を握る　　　　上皇　　　隠遁した
after he gave up his seat to the young Emperor. ⑥ As
　　　　　〜に位をゆずる　　　　　　　　　　　　　　　　〜なので
the court of *Joko* was called *In*, this government is
　　御所　　　　　　　　　　院
called *Insei*.
　　　院政
⑦ Political power was transferred from the *Fujiwara*
　　　　　　　　　　　　移った
family to *In*. ⑧ By battles of *Sho-en*, armed priests went
　　　　　　　　　　　　　　　　　　　　僧兵
to the Court and *In*. ⑨ *In* and the nobles hired the
　　　　　　　　　　　　　　　　　　　　　　　雇った
samurai of the *Gen-ji* family and the *Hei-shi* family to

defend themselves against the armed priests.
守る
⑩Because of this, samurai began to get power in the
　　　　　　　　　　　力をつけつつあった
central government. ⑪*Toba-joko* and *Goshirakawa-*
　　　　　　　　　　　鳥羽上皇　　　　　　後白河上皇
joko continued carrying out *Insei*. ⑫When *Insei* was at
　　　　　　　　　　　　　　　　　　　　　　　　　　　全盛であった
its best, the *Fujiwara* family was losing its power.
　　　　　　　　　　　　　　力を失いつつあった

20. 院政

①11世紀中ごろ、**後三条天皇**（ごさんじょう）が即位しました。②後三条天皇は、中・下級貴族を使って、天皇中心の政治を行ないました。③また、不法な荘園を整理し、全国の耕地を調べて荘園と公領を確定し、安定した税の確保を目指しました。

④次に即位した**白河天皇**（しらかわ）も、天皇中心の政治を進めました。⑤そして、幼少の天皇に位を譲ったのちも、**上皇**（じょうこう）となって政治の実権を握りました。⑥上皇の御所（ごしょ）を院（いん）と呼んだので、この政治を**院政**（いんせい）といいます。

⑦政治の実権は藤原氏から院へ移りました。⑧荘園の争いなどがもとで、僧兵（そうへい）が朝廷や院におしかけるようになりました。⑨院や貴族は僧兵に対抗するため源氏や平氏などの武士を雇いました。⑩これは、武士が中央の政治で力をもつきっかけとなりました。⑪**鳥羽上皇**（とば）、**後白河上皇**（ごしらかわ）も引き続き院政を行ないました。⑫院政が全盛をむかえるとともに、藤原氏の勢いは衰え（おとろ）ていきました。

21. The Hei-shi Administration

①When the samurai began to get power in the central
勢力をのばし始めた 中央の政治で

government, *Sutoku-joko* fought with his younger
崇徳上皇 ～と対立した

brother, Emperor *Goshirakawa*. ②It brought about
後白河天皇 保元の乱が起こった

Hogen Disturbance in 1156. ③This war ended in victory
～の勝利に終わった

for the Emperor's side but *Minamoto-no-Yoshitomo*
源義朝

was not satisfied with the reward after the war and
～に満足しなかった 恩賞

Heiji Disturbance broke out. ④*Yoshitomo* was
平治の乱

defeated by *Taira-no-Kiyomori* and *Yoritomo* was
平清盛 頼朝

exiled to *Izu*.
～へ追放された 伊豆

⑤On the other hand, *Taira-no-Kiyomori* became

Daijo-daijin (grand minister of state) and he was the
太政大臣

first samurai who was at the helm of the government.
政治の実権を握った

⑥*Kiyomori* arranged for his daughter to marry the

Emperor and her son became the new Emperor. ⑦In

the meantime, he traded with Sung.
～と貿易を行なった 宋

⑧ The *Hei-shi* family was at the height of its
栄華を極めた

prosperity but invited ill feelings from *In* and the
反感を招いた

nobles. ⑨ The samurai who were unhappy with *Hei-*

shi's domination rose in arms. ⑩ *Minamoto-no-*
平氏の支配　　　　　　　兵を挙げた　　　　　　源義経

Yoshitsune chased the *Hei-shi* family west until he
追った　　　　　　　　　　　　そして、ついに～

destroyed them in *Dan-no-ura* in 1185.
平氏を滅ぼした　　　　壇ノ浦

---

21. 平氏の政権

①武士が中央で勢力をのばしはじめたころ、朝廷では兄の崇徳上皇と弟の後白河天皇が対立していました。②1156年には**保元の乱**が起きました。③この乱は、天皇側の勝利に終わりましたが、乱後の恩賞に不満をもった源義朝は兵を挙げ、**平治の乱**が起こりました。④源義朝は平清盛に敗れ、このとき頼朝は伊豆（静岡県）に流されました。

⑤一方、**平清盛**は、**太政大臣**となり、武士としてはじめて政治の実権を握りました。⑥清盛は、娘を天皇の后にし、生まれた子を天皇に立てました。⑦また、**宋**との貿易を行ないました。

⑧栄華をほこった平氏でしたが、院や貴族の反感を招くことになりました。⑨そのうちに、平氏の支配に不満をもつ諸国の武士が兵を挙げました。⑩**源義経**は、平氏を追って西に進み、1185年、ついに**壇ノ浦**（山口県）で平氏を滅ぼしました。

22. The Taira-Minamoto War （源平の合戦）

My daughter is the Empress. I'm the *Daijo-daijin*.
私の娘は天皇の后。私は太政大臣だ。

平清盛

太政大臣

木曽では 源義仲

伊豆では 源頼朝

平氏一門は高位高官を独占し、強大な権力をほこっていました。

そんな平氏に対する反感がつのり、各地で武士が挙兵しました。

Don't fail to kill *Yoritomo*!
頼朝の首を必ずとれ!

I'm *Yoshitsune*. I fight alongside my brother, Yoritomo.
私は義経だ。兄頼朝とともに戦うぞ。

平清盛は熱病で死去しました。

源頼朝は東国一帯を支配下に置きました。

The *Minamoto* family forced us, the *Hei-shi* family, out of the capital.
我々平氏は都から追い出されました。

源義仲はたちまち京へ攻め上りました。

しかし義仲は後白河上皇の命令により、義経らに滅ぼされました。

頼朝は弟義経らに平氏を追討させました。

1185年、平氏は壇ノ浦の戦いで敗北し、滅亡しました。
8歳の安徳天皇（清盛の孫）は海に身を投げました。

平氏滅亡後、源頼朝は本拠を鎌倉に定め、武家政治を確立しました。

平氏の盛衰は琵琶法師によって語られました。

23. The Kamakura Shogunate

[1] *Minamoto-no-Yoritomo* established a base in *Kamakura*.
源頼朝　　　　　　　　　～に本拠地を置いた　　　鎌倉

[2] He entered into master-servant relationships with
結んだ　　　　主従関係

samurai and made them *Gokenin* (his followers). [3] He
御家人

developed the system of the government by samurai.
整えた　　　武士による政治のしくみ

[4] *Yoritomo* placed *Shugo* (provincial constable) in each
守護　　　　地方の　　　長官

state and *Jito* (estate steward) in each *Sho-en* or *Ko-*
地頭　土地　家臣　　　　　荘園　　　　公領

ryo, on the grounds of capturing *Yoshitsune*, his
～を口実にして　　捕らえること

younger brother. [5] When *Yoshitsune* escaped into the
～に逃れた

Oshu-Fujiwara family, he defeated them. [6] *Yoritomo*
打ち負かした

was appointed to *Seii-tai-shogun* (Barbarian Subduing

General) and an administration by samurai was born in
武士の政権

Kamakura. [7] This is called the *Kamakura* shogunate.
鎌倉幕府

[8] The system of the *Kamakura* shogunate was simple.
簡素な

[9] It consisted of *Samurai-dokoro* (Board of Retainers),
侍所　　　　　　　　省　　家臣

Man-dokoro (Administrative Board) and *Monchu-jo*
政所　　　　　行政の　　　　　　　　　問注所

(Board of Inquiry). ⑩ Shogun protected *Gokenin*'s
　　　　　　調査　　　　　　　保護する

territories and he gave them new ones. ⑪ This is called
領土

Go-on. ⑫ On the other hand, *Gokenin* gave their loyalty
御恩　　　　　　　　　　　　　　　　　　　～に忠誠を誓った

to shogun, guarded *Kamakura* and *Kyoto* and took part in
　　　　　警備した　　　　　　　　　　　　　　　　　　～に参加した

war. ⑬ This is called *Ho-ko*.
　　　　　　　　　　奉公

---

23. 鎌倉幕府

①源頼朝は、鎌倉（神奈川県）を本拠地と定めました。②そして、武士と主従関係を結んで御家人としました。③こうして武士による政治のしくみを整えていきました。④頼朝は、弟の義経を捕らえるという口実で、国ごとに守護を、荘園・公領ごとに地頭を置きました。⑤義経が奥州藤原氏のもとに逃れると、奥州藤原氏を攻め滅ぼしました。⑥頼朝は征夷大将軍に任じられ、鎌倉に武士の政権が生まれました。⑦これを鎌倉幕府といいます。

⑧鎌倉幕府のしくみは簡素なものでした。⑨役所として、侍所、政所、問注所などが置かれました。⑩将軍は御家人の領地を保護し、新しい領地を与えました。⑪これを御恩といいます。⑫一方、御家人は将軍に忠誠を誓い、鎌倉や京都を警備し、戦いが起こると参加しました。⑬これを奉公といいます。

24. The Shikken Government and Jokyu Disturbance

①After the death of <u>Minamoto-no-Yoritomo</u>, his son,
　〜の死後　　　　　源頼朝

<u>Yoriie</u>, became shogun but <u>Yoritomo</u>'s <u>widow</u>, <u>Masako</u>,
頼家　　　　　　　　　　　　　　　　　　未亡人　　政子

and her father, <u>Hojo Tokimasa</u>, <u>were at the helm of the</u>
　　　　　　北条時政　　　政治の実権を握っていた

<u>government</u>. ② Later, <u>Yoriie</u> <u>was assassinated</u> and
　　　　　　　　　　　　　　　　　暗殺された

<u>Yoriie</u>'s brother, <u>Sanetomo</u>, became shogun but he was
　　　　　　　　　実朝

also assassinated by his <u>nephew</u>, <u>Kugyo</u>.
　　　　　　　　　　　　　おい　　公暁

③ The <u>Hojo</u> family became <u>Shikken</u> (<u>Regent</u>) <u>from</u>
　　　　　　　　　　　　　執権　　摂政　　代々

<u>generation to generation.</u> ④ After <u>Yoritomo</u>'s death, <u>Hojo</u>

<u>Tokimasa</u>, <u>Masako</u> and her brother, <u>Hojo Yoshitoki</u>, carried
　　　　　　　　　　　　　　　　　　　　　　　義時

out the government of the shogunate.⑤After <u>Minamoto</u>'s

(<u>Gen-ji</u>'s) shoguns <u>became extinct</u>, the <u>Hojo</u> family
　　　　　　　　　　　絶えた

<u>practically</u> <u>took power of the shogunate as a</u> <u>Shikken</u>.⑥This
実質的に　　〜として幕府の権力を握った

government by the <u>Hojo</u> family is called <u>Shikken</u> government.
　　　　　　　　　　　　　　　　　　　執権政治

⑦Meanwhile, <u>Gotoba-joko</u> <u>in the Court</u> wanted to defeat
　　　　　　　後鳥羽上皇　　朝廷

the <u>Kamakura</u> shogunate and come into power again. ⑧ In

1221, he <u>rose in arms</u> to kill <u>Hojo Yoshitoki</u>. ⑨ This is called
　　　　　挙兵した

Jokyu Disturbance. ⑩ But he was defeated by the
承久の乱

shogunate and exiled to *Oki*.
　　　　　　　 ~へ追放された　隠岐

⑪ After *Jokyu* Disturbance, the shogunate placed its

agencies, *Rokuhara-tandai*, in *Kyoto* to keep watch on the
機関　　　六波羅探題　　　　　　　　　~を監視する

Court. ⑫ This let the shogunate more powerful.

---

24. 執権政治と承久の乱

① 源 頼朝が死ぬと、頼朝の子頼家が将軍となりましたが、政治の中心は頼朝の妻政子とその父北条時政が握りました。② やがて頼家は暗殺され、その後、頼家の弟実朝が将軍となりましたが、おいの公暁に暗殺されました。

③ 北条氏は代々、将軍の補佐役である執権の地位につきました。④ 頼朝の死後は北条時政や政子の弟北条義時らが、政子とともに幕府の政治を動かしていきました。⑤ 源氏の将軍が絶えた後、幕府の権力は執権の職にある北条氏が握る形となりました。⑥ このような北条氏による政治を、執権政治といいます。

⑦ 朝廷では後鳥羽上皇が、鎌倉幕府を倒し、権力を朝廷にもどすことをめざして兵を整えつつありました。⑧ そして1221年、北条義時追討の命令を出して挙兵しました。⑨ これを承久の乱といいます。⑩ しかし、幕府の大軍に敗れ、上皇は隠岐（島根県）に流されました。

⑪ 承久の乱の後、幕府は朝廷の監視のために、京都に六波羅探題を置きました。⑫ これにより、幕府の支配力は一段と強くなりました。

25. The Goseibai-shikimoku and the Life of Samurai

(1) After *Jokyu* Disturbance, *Shikken Hojo Yasutoki*
泰時

sought political stability through negotiations of
政治の安定を求める   ～の話し合いによって

powerful *Gokenin*. (2) He also set up *Hyojoshu* (Council
有力な   設ける   評定衆

of State). (3) *Yasutoki* put the customs of samurai society
慣習   武家社会

in writing in 1232 (*Goseibai-shikimoku*). (4) It was the
～を文書にまとめる   御成敗式目

first law samurai made.

(5) Samurai's houses were simple and practical, and they
簡素な   実用的な

made walls and moats around them in preparation for
塀   堀   ～に備えて

battles. (6) They ruled their villages as *Shokan* (*Sho-en*
荘官

manager) or *Jito* and collected tributes. (7) They made
地頭   年貢を取り立てた

Genin (low rank persons) and peasants cultivate fields
下人   農民

around their houses.

(8) It was important for samurai to develop military arts.
武芸をみがくこと

(9) Among military arts, three games were especially

well-practiced: *Kasagake* (practical horseback riding
笠懸   実戦上の

archery), *Inuoumono* (dog hunting) and *Yabusame*
犬追物　　　　　　　　　　　　　　　　　流鏑馬

(ritual horseback riding archery).
儀式上の

⑩ Giving their loyalty to their masters by working on
主人へ忠誠を誓うこと　　　　　　　　　　　　　　　　　　　　　　　〜にはげむ

military arts was a morally right behavior for samurai
　　　　　　　　　　道徳的に正しい行ない

and it was called *Mononofu-no-michi* or *Kyu-ba-no-michi*.
もののふの道　　　　　　　　　　弓馬の道

25. 御成敗式目と武士の生活

①承久の乱の後、執権**北条泰時**は、有力な御家人の話し合いによって政治の安定をはかりました。②そして、評議を行なう役所として、**評定衆**を置きました。③また泰時は、1232年、武家社会の慣習を文書にまとめ、**御成敗式目（貞永式目）**を制定しました。④御成敗式目は、武士のつくった最初の法律でした。

⑤武士の住まいは簡素で実用的なもので、戦いに備えてまわりに塀や堀をめぐらせていました。⑥武士は荘官や地頭として村を支配し、年貢を取り立てました。⑦また館の周辺の田畑を下人や農民に耕作させていました。

⑧また武士は、武芸をみがくことが第一とされていました。⑨武芸の中では、**笠懸・犬追物・流鏑馬**の３つの弓技が盛んに行なわれていました。⑩このように武芸にはげみ、主人への忠誠を誓うことは、武士の守るべき道徳とされ、「**もののふの道**」や「**弓馬の道**」などと呼ばれました。

26. The Dual Control and the Life of Peasants

①Even after the government by the shogunate began,
～したあとでさえ

the Court and nobles went on ruling the *Sho-en* as *Sho-*
朝廷　　　　　　　　　　　支配を続けた　　　　　　　荘園領主

en-Ryoshu. ② Peasants were under dual control of
二重の支配下にあった

Kuge (court noble) and *Buke* (samurai family).
公家　　　　　　　　　　　武家

③The Court was in Kyoto and Kyoto flourished as the

center of the government by *Kuge*. ④ The shogunate

was in *Kamakura* and *Kamakura* flourished as the

center of the government by *Buke*.

⑤Peasants paid tributes to *Sho-en-Ryoshu* but samurai
農民

often ruled land and peasants as *Jito*, so there were
地頭として

quarrels between *Sho-en-Ryoshu* and *Jito*. ⑥ Therefore,
争い

Sho-en-Ryoshu gave half of their *Sho-en* to

Jito(*Shitaji-chubun*) or let *Jito* control *Sho-en*
下地中分　　　　　　　　　　　　　　　　荘園を管理する

provided that *Jito* paid a certain rate of tributes (*Jito-*
～という条件で　　　　　　　一定の割合の年貢　　　　　　地頭

uke) .
請

⑦Farm technique was improved in *Kamakura* period.
農業技術　　　　　　改善された

64

⑧Cultivation by oxen and horses spread and peasants
耕作　　　　　　牛(oxの複数形)　　　　　広まる

double-cropped in western Japan.　⑨Markets to
二毛作をした　　　　　　　　　　　　　市

exchange goods were held regularly.

---

26. 二重の支配と農民の生活

①幕府による政治が始まっても、朝廷や貴族は荘園領主として引き続き荘園を支配していました。②そのため、農民は、**公家**と**武家**による二重の支配を受けていました。

③朝廷がある京都は公家の政治の中心地として栄えました。

④また、幕府がある**鎌倉**は武家の政治の中心地として栄えました。

⑤農民は年貢を荘園領主に納めていましたが、武士が地頭となって土地や農民を支配することが多くなり、荘園領主と地頭との間でしばしば争いが起こりました。⑥そのため荘園領主は、荘園の土地を半分地頭に分けたり(**下地中分**)、一定の年貢を納めさせる条件をつけて荘園の管理をいっさい地頭に任せたり(**地頭請**)しました。

⑦鎌倉時代は農業技術が高まった時代でもありました。⑧牛馬を使った耕作が広まり、西日本では**二毛作**も行なわれるようになりました。⑨商品をやりとりするための**市**も定期的に開かれました。

27. The Mongol Invasion（元の襲来）

モンゴル帝国のフビライは国号を元として、北京を都にしました。

フビライは日本を服属させようと何度も使者を送りました。

鎌倉幕府の執権北条時宗は元の使者を無視し続けました。

1274年、ついに元が北九州に襲来しました。

I'm done for.
やられた〜。

幕府軍は元の集団戦法や火薬に苦しめられました。

The enemy's ships have gone!
敵の船がいなくなったぞ！

ところが暴風雨が起こり、元軍は引き揚げました。

For God's sake ...
ひどい……

フビライは再び使者を送りましたが、幕府は処刑してしまいました。

We cannot go ashore because of the barricade.
海岸に石塁があって上陸できない。

1281年、元は再び来襲しました。

A divine wind has blown.
神風が吹いたぞ〜！

再び暴風雨が起こり、元軍は大損害を受けました。

There is no reward, huh.
ほうびがないね。

We have become badly off.
生活が苦しくなったよ。

御家人
Gokenin

十分な恩賞がもらえなかった御家人の生活は苦しくなりました。

28. Kamakura Culture

① Samurai and people spent every day in uncertainty
不安な日々を送っていた
because of wars and famines, so they turned to new
ききん   ～に救いを求めた
Buddhism sects called *Kamakura-shin-bukkyo*. ② The
鎌倉新仏教
teaching of them was so easy to understand that they

became popular among them.

③ *Honen* insisted that people should faithfully obey the
法然   ～であると主張した   信心深く従う
teaching of *Jodo-shinko* and founded *Jodo-shu*. ④ His
浄土信仰   創設した   浄土宗
disciple, *Shinran*, founded *Jodo-shin-shu*. ⑤ *Nichiren*
弟子   親鸞   浄土真宗   日蓮
founded *Nichiren-shu*. ⑥ *Ippen* founded *Ji-shu* and
日蓮宗   一遍   時宗
spread a dance prayer. ⑦ *Zen-shu* was introduced from
踊念仏   禅宗
Sung. ⑧ It was suited for the spirit of samurai. ⑨ *Eisai*
宋   ～と合った   気風   栄西
founded *Rinzai-shu* and *Dogen* founded *Soto-shu*.
臨済宗   道元   曹洞宗
⑩ In the *Kamakura* period, simple and powerful culture

developed. ⑪ The life of samurai and war were

described in *The Tales of the Heike* and it was passed
～に描かれた   『平家物語』   語り伝えられた
by word of mouth of *Biwa* minstrel. ⑫ Excellent essays
琵琶法師   すぐれた随筆

were written: *The Ten Foot Square Hut* by *Kamo-no-*
『方丈記』　　　　　　　　　　　　　　　　鴨長明
Chomei and *Essays in Idleness* by *Yoshida Kenko*.
　　　　　　　『徒然草』　　　　　　　吉田兼好
⑬ *Fujiwara-no-Teika* and others edited *New Collection*
藤原定家　　　　　　　　　　　　　　　　　　『新古今和歌集』
of Ancient and Modern. ⑭ *Kongo-rikishi-zo* was graved
　　　　　　　　　　　　金剛力士像　　　　　　彫られた
by *Unkei* and *Kaikei*.
　　運慶　　　　快慶

---

28. 鎌倉文化

①戦乱やききんなどの災害が続き、不安な日々を送ってきた武士や庶民は、鎌倉新仏教とよばれる新しい仏教に救いを求めるようになりました。②いずれの教えもわかりやすかったことから、武士や庶民に広まっていきました。

③**法然**は、浄土信仰の教えを徹底することを主張し、**浄土宗**を開きました。④その弟子の**親鸞**は、**浄土真宗（一向宗）**を開きました。⑤**日蓮**は**日蓮宗（法華宗）**を開きました。⑥**一遍**は**時宗**を開き、踊念仏を広めました。⑦宋からは**禅宗**が伝わりました。⑧禅宗は武士の気風に合っていました。⑨**栄西**は**臨済宗**を、**道元**は**曹洞宗**を開きました。

⑩鎌倉時代には、素朴で力強い文化が発達しました。⑪武士の生活や戦乱を描いた『**平家物語**』は、**琵琶法師**によって語り伝えられました。⑫**鴨長明**の『**方丈記**』、吉田兼好の『**徒然草**』などのすぐれた随筆も書かれました。⑬歌集では、**藤原定家**らにより『**新古今和歌集**』が編集されました。⑭彫刻では、**運慶・快慶**による**金剛力士像**が知られています。

29. The New Government of Kemmu

①The *Kamakura* shogunate <u>passed through the crisis</u>
〜の危機を切り抜けた

<u>of</u> the <u>Mongol invasions</u> but *Gokenin*, who <u>were not</u>
元寇

<u>adequately rewarded</u>, <u>were unhappy with</u> the
十分な恩賞を与えられなかった　　　〜に不満であった

shogunate.

②<u>Emperor *Godaigo*</u> took advantage of <u>this opportunity</u>
後醍醐天皇　　　　　　　　　　　この機会を利用した

and <u>rose in arms</u> to defeat the shogunate and return to
兵を挙げた

the government with the Emperor at its center.

③ Samurai <u>collected by</u> Emperor *Godaigo* were
〜に集められた

Kusunoki Masashige and others, who were unhappy
楠木正成

with the government by the shogunate.　④ The

shogunate <u>placed</u> a great army in *Kyoto* and tried to
配置した

<u>break down</u> the <u>revolt</u>. ⑤ Nevertheless, <u>estrangement</u> of
鎮圧した　　　反乱　　　　　　　　　　　　　　　離反

powerful *Gokenin*, *Ashikaga Takauji*, <u>changed the</u>
足利尊氏　　　　　　　状況を一変させた

<u>whole picture</u>. ⑥ *Ashikaga Takauji* <u>took control of</u>
〜を陥落させた

Rokuhara-tandai in 1333 and *Nitta Yoshisada*
六波羅探題　　　　　　　　　　　新田義貞

captured *Kamakura*. ⑦ At last, the *Kamakura*
攻略した

shogunate was ruined.
　　　　　　　滅亡した

⑧ The government of Emperor *Godaigo* is called

Kemmu-no-shinsei (New Government of *Kemmu*).
建武の新政

⑨ Samurai, however, were disappointed with his
　　　　　　　　　　　　　～に失望した

government which made much of *Kuge*, and it lasted
　　　　　　　　　～を重視した

only two years.

---

29. 建武の新政

①鎌倉幕府は、元寇の危機を切り抜けましたが、十分な恩賞を
もらえなかった御家人は幕府への不満を高めました。
②このタイミングを利用して、**後醍醐天皇**は、幕府を倒して天
皇中心の政治を復活させようと兵を挙げました。③後醍醐天皇
が動員したのは、**楠木正成**など幕府の政治に不満をもつ武士で
した。④幕府は、大軍を京都に派遣して鎮圧をはかりました。
⑤しかし、それでも有力御家人の**足利尊氏**が離反すると状況は
大きく変わりました。⑥1333年には足利尊氏が六波羅探題を陥
落させ、**新田義貞**が鎌倉を攻略しました。⑦そして、ついに鎌
倉幕府は滅亡しました。
⑧後醍醐天皇の政治を、**建武の新政**と呼びます。⑨しかし、公家
重視の政治は武士の失望をまねき、新政は2年ほどで失敗に終
わりました。

30. The Disturbance of the Northern and Southern Courts

① The Emperor tried to underline *Kuge* and *Buke* under him
統合する　　　　　　　　　　　　　　　　天皇のもとに

by *Kemmu-no-shinsei* but expectation gave way to
建武の新政　　　　　　　　　　期待は失望に変わった

disappointment. ② Good rewards to *Kuge* disappointed
　　　　　　　　　　　　恩賞　　　　　　　　　　失望させた

samurai. ③ Further, samurai in each state were

displeased with the Emperor's plan to build a vast
〜に不満であった　　　　　　　　　　　　　　　　巨大な宮殿

palace because of the great expense they would have
　　　　　　　　　　　　大きな出費

to pay for it.

④ With a backdrop of this discontent of samurai,
〜を背景にして　　　　　　不満

Ashikaga Takauji stood up to get back the government
足利尊氏　　　　　　　　　　　復活させる

by samurai. ⑤ *Ashikaga Takauji* held *Kyoto* in 1336 and
　　　　　　　　　　　　　　　　　　　制圧した

made *Komyo* the Emperor. ⑥ Emperor *Komyo* was a
光明

legitimate descendant of *Jimyoin* and had a conflict
嫡出の　　　子孫　　　　　　持明院　　　　　〜と対立した

with Emperor *Godaigo*, who was a legitimate
後醍醐天皇

descendant of *Daikakuji*. ⑦ Emperor *Godaigo* escaped to
大覚寺　　　　　　　　　　　　　　　　　　　〜に逃れた

Yoshino and the Courts were placed both in *Kyoto* and
吉野

72

in *Yoshino*. [8] The one in *Kyoto* was called <u>*Hoku-cho*</u>
北朝
(the northern Court) and the other in *Yoshino* was

called <u>*Nan-cho*</u> (the southern Court). [9] This was the
南朝
beginning of the <u>*Nanboku-cho* disturbance</u> (the
南北朝の動乱
Disturbance of the Northern and Southern Courts).

[10] This disturbance lasted about 60 years.

30. 南北朝の動乱

[1]天皇のもとに公家と武家を統合しようとした建武の新政でしたが、その期待はまもなく失望に変わりました。[2]公家重視の恩賞は武士の期待を裏切りました。[3]そのうえ大規模な宮殿の造営計画は、費用を負担する諸国の武士の不満を増大させるものとなったのです。

[4]こうした武士の不満を背景に、武家政治の再興を目指して立ち上がったのが**足利尊氏**です。[5]1336 年、京都を制圧した足利尊氏は、**光明天皇**を擁立しました。[6]**持明院統**の光明天皇は、**大覚寺統**の後醍醐天皇と対立しました。[7]後醍醐天皇は吉野へ脱出し、京都と吉野に朝廷が並立することになりました。[8]京都の朝廷を**北朝**、吉野の朝廷を**南朝**といいます。[9]これが南北朝の動乱の始まりです。[10]この動乱は、約 60 年間続きました。

31. The Muromachi Shogunate

① *Ashikaga Takauji* 足利尊氏 was appointed as ~に任じられた *Seii-tai-shogun* 征夷大将軍 (Barbarian Subduing General) by *Hoku-cho* (the northern Court) in 1338. ② The shogunate of the *Ashikaga* family is called the *Muromachi* 室町幕府 shogunate.

③ The system of the *Muromachi* shogunate was largely 大部分 like that of the *Kamakura* shogunate but shogun's assistant 補佐役 was named *Kanrei* 管領. ④ Powerful *Shugo-Daimyo* 守護大名 (official feudal lords) who were in the *Ashikaga* family were appointed as *Kanrei*: *Hosokawa* 細川, *Shiba* 斯波 and *Hatakeyama* 畠山. ⑤ *Samurai-dokoro* 侍所 was also an important agency 機関. ⑥ The head 長官 of *Samurai-dokoro* was called *Shoshi* 所司 and four families took up the post その役に就任した by rotation 交代で: *Akamatsu* 赤松, *Isshiki* 一色, *Yamana* 山名 and *Kyogoku* 京極. ⑦ They were other powerful *Shugo-Daimyo*.

⑧ One of the characteristics 特色 of the *Muromachi*

shogunate was that *Shugo* had strong power. [9] During
             守護

the *Nanboku-cho* disturbance, *Shugo* got the power to

collect a half of tributes as *Hyoro-mai* (rice for troops)
                  兵糧米

by the system of *Hanzeirei* and ruled over their
         半済令

territories powerfully. [10] They entered into master-
領地

servant relationships with domestic *Jito* and they grew
                  国内の
（~と主従関係を結んだ）

into *Shugo-Daimyo*.

---

31. 室町幕府

①1338 年、**足利尊氏**は北朝から征夷大将軍に任じられました。
②足利氏の幕府を**室町幕府**と呼びます。

③室町幕府のしくみは、ほぼ鎌倉幕府にならったものですが、
将軍の補佐役は**管領**といいます。④管領には**細川・斯波・畠山**
という足利氏一門の有力守護大名がつきました。⑤また室町幕
府では、**侍所**も重要な機関でした。⑥侍所の長官は**所司**と呼ば
れ、**赤松・一色・山名・京極**の4氏が交代で就任しました。
⑦彼らもまた有力な守護大名でした。

⑧室町幕府の特色の1つは、守護の力が強かったことです。⑨南
北朝の動乱に際し、**半済令**により兵糧米として年貢の半分を徴
収する権限を得た守護は、領地支配を強めていきました。⑩そ
して国内の地頭と主従関係を結び、守護大名へと成長しました。

32. The Kango Trade

① During the *Nanboku-cho* disturbance in Japan, Japanese pirates called *Wako* infested East Asia.
海賊　　　　　倭寇　　横行した

② Han people's Ming was established in place of Mongol
漢民族　　明　　　　　　　　　　　　〜に代わって　モンゴル民族

people's Yuan in China in 1368. ③ Ming frequently
元

required Japan to crack down on *Wako*. ④ *Ashikaga*
〜を取り締まる　　　　　　　　　足利義満

Yoshimitsu prohibited the piracy at the request of Ming
禁じた　　　　海賊行為　〜の要求に応じて

and started to trade with Ming officially. ⑤ Trade with
〜と貿易した　　　　　正式に

Ming was called *Kango* trade because tally sticks
勘合貿易　　　　　　合札

(*Kango*) were used to tell trading vessels from pirate
〜と区別する貿易船　　　　海賊船

ships. ⑥ *Kango* trade brought huge profit to the
〜をもたらした　ばく大な　利益

Muromachi shogunate but the real power of the trade
〜の実権

gradually transferred to the *Ouchi* family, who dealt
しだいに　　　　　　　　大内家　　　　　　〜と結んだ

with *Hakata* merchants, and the *Hosokawa* family, who
博多商人　　　　　　　　細川家

dealt with *Sakai* merchants. ⑦ The main exported
堺商人　　　　　　　　主な　輸出品

goods of Japan in *Kango* trade were sulfur, swords and
硫黄　　刀剣

fans, and the main imported ones were bronze coins
扇　　　　　　　　　　　　　輸入品　　　　　　　　　　　銅銭

and raw silk.
　　生糸

⁸On the Korean Peninsula, Goryeo was ruined and
　　　　　　　　　　　　　　　　　高麗

Korea was established. ⁹They developed Hangul to
朝鮮国　　　　　　　　　　　　　　　　　　　ハングル文字

write down the Korean language and they began to
書き表す

trade with Japan.

---

32. 勘合貿易

①日本国内で南北朝の動乱が続いていたころ、東アジアでは、**倭寇**と呼ばれる日本人の海賊集団が猛威をふるっていました。②中国では1368年、モンゴル民族の元に代わり、漢民族の**明**が建てられました。③明は、日本に対したびたび倭寇の取り締まりを求めてきました。④**足利義満**はこれに応じ、倭寇の活動を禁じるとともに、明と正式な貿易を開始しました。⑤明との貿易は、貿易船と海賊船とを区別するため、**勘合**という合札が用いられたので、**勘合貿易**と呼ばれました。⑥勘合貿易は、室町幕府にばく大な利益をもたらしましたが、しだいにその実権は博多商人と結んだ**大内氏**や、堺商人と結んだ**細川氏**に移っていきました。⑦勘合貿易における日本の主な輸出品は硫黄、刀剣、扇、主な輸入品は銅銭、生糸でした。
⑧朝鮮半島では高麗が滅び、かわって**朝鮮国**が建てられました。
⑨朝鮮語を書き表す**ハングル**という文字がつくられ、日本との貿易も開始されました。

33. The Development of Industry and Economy

[1] In the *Muromachi* period, society was stabilized and
安定した
industries developed in various parts of the country

because of the trade with China and Korea.

[2] As for agriculture, double cropping spread to all over
二毛作
the country. [3] People got a better harvest by using oxen
よりよい収穫を得た
and horses. [4] Cultivation of commercial crops became
栽培　　　　商品作物
popular.

[5] In the handicraft industry, local specialties such as
手工業　　　　　　特産物
silk fabric in *Nishijin* and earthenware in *Seto* were
絹織物　　西陣　　　陶器　　　瀬戸
produced in large quantities. [6] Forge and foundry
多く　　　　鍛冶　　鋳物業
industry also flourished. [7] In commerce, markets
商業　　市が開かれた
were held all over the country more often than before.

[8] Handicraftsmen and merchants formed trading
手工業者　　　　商人　　同業組合を作った
associations called *Za*. [9] *Za* monopolized the market
座
under the care of nobles and temples.
〜の保護のもとに
[10] The development of commerce and industry brought
もたらした

that of <u>finance</u> and <u>circulation</u>. ⑪<u>Pawnshops</u> called
　　　　金融　　　　流通　　　　　　　　質屋
Doso appeared. ⑫<u>Water transport</u> was developed in
土倉　　　　　　　　　水上交通
the *Seto* <u>inland sea</u> and Lake *Biwa*. ⑬<u>Carriers</u> and
瀬戸内海　　　　　　　　　琵琶湖　　　　運送業
<u>warehousers</u> called *Toiya* did business at <u>harbors</u>.
倉庫業者　　　　　問屋　　　　　　　　　　港
⑭ Moreover, carriers called <u>*Bashaku*</u> flourished on
　　　　　　　　　　　　馬借　　　　　　　陸上で
<u>land</u>.

33. 産業と経済の発達

①室町時代は社会がやや安定し、中国や朝鮮との貿易により、各地で産業が発達しました。
②農業では、**二毛作**が各地に広まりました。③耕作に牛や馬を利用して、収穫が増えました。④また商品作物の栽培が盛んになりました。
⑤手工業では**西陣**（京都）の**絹織物**、**瀬戸**の**陶器**など各地で特産物の生産が進みました。⑥**鍛冶・鋳物業**なども盛んになりました。⑦商業では、**市**が各地で開かれ、開催日数も増えました。
⑧手工業者や商人は、**座**と呼ばれる同業者の組合をつくっていました。⑨座は貴族や寺社の保護のもとに営業を独占していました。
⑩商工業の発達は、金融や流通の発達をもたらしました。⑪**土倉**と呼ばれる質屋が現れました。⑫瀬戸内海や琵琶湖などの水上交通が発達しました。⑬港では**問屋**と呼ばれる運送業・倉庫業者が活動しました。⑭また、**馬借**と呼ばれる陸上の運送業者も活躍しました。

34. The Formation of the Soson

① Agriculture developed and the produce which
農業　　　　　　　　　　　　　　　　農民の手元に残る生産物

remained in the peasants' hands increased, so villagers

came to make good livings. ② Some powerful peasants
　　　　　豊かな生活をする

became *Ji-zamurai* (local samurai).
地侍

③ These new samurai, *Kokujin* (powerful local samurai)
国人

and powerful peasants formed villages with the people

around them. ④ In some villages, the people fenced and

moated their villages in preparation for battle.
～に堀をめぐらした　　　　～にそなえて

⑤ *Yoriai*, which consisted mainly of powerful peasants,
寄合　　　　主に～からなった

ran their village. ⑥ Some villages laid down rules and
運営した　　　　　　　　　　　　　　～を定めた

punished violators severely. ⑦ *Ichimishinsui*(the
罰した　　違反者　　きびしく　　　　　一味神水

ceremony of drinking water with ash of written oath in
儀式　　　　　　　　　　　　　　　灰　　誓約書

it) was performed for the village solidarity. ⑧ These
　　　　　　　　　　　　　　村の団結

self-governing councils are called *So*, and villages run
自治会　　　　　　　　　　　惣

by the bond of *So* are called *Soson*.
　～による統合　　　　　　惣村

⑨Peasants bonded by *So* became stronger to oppose
　　　　　　　　　　　　　強くなった　　　　　　　　～に対抗するために

Shoen-Ryoshu or *Shugo-Daimyo*. ⑩Some negotiated
　　　　　　　　　　　　　　　　　　　　　　　　　交渉した

as a group with them about reduction of tributes.
集団で　　　　　　　　　　　年貢を減らすことについて

⑪Others fired *Sho-kan* who had ruthlessly collected
　　　　　やめさせた　　　　　　　　　冷酷に　　　取り立てた

tributes and paid tributes directly.

---

34. 惣村の形成

①農業が発達すると農民の手元に残る生産物が増え、村の生活は豊かになりました。②有力な農民の中には新たに武士となって、**地侍**となる者も現れました。

③こうした新しい武士や**国人**、有力な農民を中心にして村が生まれました。④村によっては、戦乱にそなえて村のまわりに柵や堀をめぐらす者もいました。

⑤村の運営は、有力な農民を主なメンバーとする**寄合**によって行なわれました。⑥また、村の掟を定め、違反者をきびしく罰するところもありました。⑦村人の団結のために**一味神水**も行なわれました。⑧こうした自治組織を**惣**、惣による結合をもとに運営される村落を**惣村**といいます。

⑨惣に結合した農民は、荘園領主や守護大名に対抗する力を強めていきました。⑩なかには集団で年貢を減らすように交渉した農民もいました。⑪あるいは無理な取り立てをする荘官をやめさせて、惣の責任で年貢を納めるようにした者もいました。

35. The Self-governing by the Ikki

① The *Muromachi* period was the time when violent
実力行動

means called *Ikki* by peasants and *Ji-zamurai* often broke
一揆　　　　　　　　　　地侍

out. ② *Do-ikki*, *Kuni-ikki* and *Ikko-ikki* are very famous.
土一揆　　国一揆　　　一向一揆

③ *Do-ikki* was the violent means by peasants called

Do-min, and they demanded to wipe all of their debts
土民　　　　　　　　～するように要求した 帳消しにする　　借金

away and to reduce tributes. ④ A typical *Do-ikki* was
　　　　　　　　　　　　　　　　　代表的な

Shocho-no-do-ikki in 1428. ⑤ *Bashaku* (carrier by
正長の土一揆　　　　　　　　　馬借

horses) in *Omi* and peasants in the suburbs of *Kyoto*
　　　　　近江　　　　　　　　～の近郊

stood up to press the shogunate to issue the decree,
　　　　　幕府に対して～を要求する　　法令を発布すること

Tokusei-rei, and tore up their bonds by hitting liquor
徳政令　　　　　破棄した　　借用証書　　襲う

stores and *Doso*.
　　　　　土倉

⑥ *Kuni-ikki* was started mainly by *Kokujin*. ⑦ A typical
国一揆

Kuni-ikki was *Yamashiro-no-kuni-ikki* in 1485. ⑧ In
　　　　　　　　山城の国一揆

southern *Yamashiro*, *Kokujin* and peasants stood up

together to purge *Shugo-Daimyo* and they achieved
　　　　　追放する　　　　　　　　　　　　　自治を達成した

self-rule for eight years.

⑨Priests who believed in *Jodo-shin-shu* (*Ikko-shu*),
僧侶 信仰した

Kokujin and peasants rose in *Ikko-ikki*. ⑩A typical
一向一揆を起こした

Ikko-ikki was *Kaga-no-ikko-ikki* in 1488. ⑪This broke
加賀の一向一揆

out in *Kaga* and defented the *Togashi* family, the
富樫家

Shugo-Daimyo.

---

35. 一揆による自治

①室町時代は、**一揆**と呼ばれる農民や地侍の団結と、それをもとにした実力行動が目立った時代でした。②有名な一揆には**土一揆**、**国一揆**、**一向一揆**などがあります。

③土一揆とは**土民**と呼ばれた農民の実力行動で、借金の帳消しや年貢の減額を求めて起こしました。④土一揆の代表的なものが 1428（正長元）年の**正長の土一揆**です。⑤これは、借金に苦しむ近江（滋賀県）の**馬借**や、京都近郊の農民が立ち上がり、借金の約束を破棄させる**徳政令**を幕府に要求し、**酒屋**や**土倉**を襲って借金の**証文**を破り捨てたものです。

⑥国一揆とは、**国人**を中心とする一揆です。⑦国一揆の代表的なものが 1485 年の**山城の国一揆**です。⑧これは、山城（京都府）南部で、国人と農民が一体となって立ち上がり、守護大名を追放して 8 年間自治を行なったものです。

⑨一向一揆は、**浄土真宗**（**一向宗**）を信仰する僧侶、国人、農民が団結して起こした一揆です。⑩一向一揆の代表的なものが 1488 年の**加賀の一向一揆**です。⑪これは、加賀（石川県）で起こり、守護大名の**富樫氏**を倒したものです。

36. The Onin War

① The *Muromachi* shogunate was like a coalition
<u>〜のような</u> <u>〜の連立政権</u>
government of *Shugo-Daimyo*. ② The assassination of
<u>〜の暗殺</u>
Ashikaga Yoshinori, the 6th shogun, and *Ikki* all
足利義教 一揆
around the country took the power away from the
<u>〜から力を奪った</u>
shogunate. ③ The struggle for power among powerful
勢力争い 有力大名
Daimyo became serious. ④ Among them, the *Hosokawa*
激しくなった 細川家
family and the *Yamana* family were the two big
山名家 二大勢力
powers.

⑤ The 8th shogun, *Ashikaga Yoshimasa*, was not
足利義政 <u>〜に興味がなかった</u>
interested in the government and his wife, *Hino Tomiko*,
日野富子
was at the helm of the government. ⑥ *Yoshimasa* wanted
<u>〜の実権を握った</u>
his brother, *Yoshimi*, to be the next shogun.

⑦ But *Tomiko* gave birth to a baby boy, *Yoshihisa*, and
<u>〜を産む</u> 義尚
the next shogun came into question. ⑧ It divided the
問題となった 分けた
shogunate into two groups.
2つのグループに

⑨ At last, war broke out in *Kyoto* in 1467. ⑩ Some
　　　　　　起こった

Shugo-Daimyo were on *Hosokawa*'s side (East Army)
　　　　　　　　　　　　　　　　　　　　　　　東軍

and others were on *Yamana*'s side (West Army). ⑪ It
　　　　　　　　　　　　　　　　　　西軍

lasted eleven years but ended in a draw. ⑫ This war is
続いた　　　　　　　　　　引き分けに終わった

called the *Onin* war.
　　　　　応仁の乱

---

36. 応仁の乱

①室町幕府は、守護大名の連立政権のような性格をもっていました。②6代将軍**足利義教**が暗殺されたり、各地に一揆が起こったりして、幕府の力が弱まりました。③すると有力大名の勢力争いが激しくなりました。④なかでも有力な**細川氏**と**山名氏**が勢力を二分していました。

⑤8代将軍となった**足利義政**は、政治に関心を示さず、政治の実権は義政の妻・**日野富子**にありました。⑥義政は、弟の**義視**を次の将軍に指名しました。⑦しかし日野富子に**義尚**が生まれると、後継者問題が起こりました。⑧それは幕府を二分する争いに発展しました。

⑨そして1467年、ついに京都で戦いが起こりました。⑩諸国の守護大名は細川方（**東軍**）と山名方（**西軍**）に分かれて戦いました。⑪争いは11年間続きましたが、明確な決着をみないまま終わりました。⑫これを**応仁の乱**といいます。

37. The Gekokujo and the Warring Lord

① *Gekokujo* means that low rank people require high
下剋上　　　　　　　　　下の位の者　　　　要求する
rank people to do something or the former defeats the
上の位の者　　　　　　　　前者　　　倒す　後者
latter. ② *Do-ikki* is one example of it. ③ After the *Onin*
土一揆　　　　　　　　　　　　　　　　応仁の乱
War, the power of the shogun weakened and he could

rule only small areas around *Kyoto*. ④ Hence, *Shugo-*
支配する　　　　　　　　　　　　　それゆえに　守護大名
Daimyo had to rule their territory by themselves. ⑤ Some
領国　　　　　　　自らの力で
powerless *Shugo-Daimyo* were defeated by their own
力の劣った
servants who strengthened their power. ⑥ The people
家来　　　　強めた
who had power to rule *Ji-zamurai* and peasants could
地侍
be rulers of the territory. ⑦ These rulers are called
支配者
Sengoku-Daimyo (warring lord).
戦国大名　　　　　　戦っている

⑧ *Sengoku-Daimyo* ruled their territory under the
～の政策のもとで
policy of increasing wealth and military power. ⑨ They
富国強兵
accepted *Ji-zamurai* as servants to form an army and
地侍を家臣にとった　　　　　　　　　軍事組織をつくり上げるために
ruled the land and people to collect tributes. ⑩ *Takeda*
年貢を徴収するために　　　武田信玄

Shingen in *Kai*, for example, extended farmland by
　　甲斐　　たとえば　　　　　　　　広げた

flood prevention works and opened mines. [11] Some
治水工事　　　　　　　　　　　鉱山を開発した

Sengoku-Daimyo enacted the ordinances (domestic
　　　　　　　　制定した　　　条例　　　　領内だけの法律

laws): the *Imagawa* family's *Imagawa-kana-mokuroku*
　　　　今川家の　　　　　『今川仮名目録』

or the *Takeda* family's *Shingen-kaho*.
　　　　武田家の　　　　『信玄家法』

---

37. 下剋上と戦国大名

[①]下の位の者が上の位の者に対して強く要求したり、上の位の者を倒したりすることを**下剋上**といいます。[②]土一揆はその一例です。[③]応仁の乱後、将軍の権威が衰えると、将軍は京都を中心とするわずかな地方を支配するだけとなりました。[④]それゆえ守護大名は自らの力で領国を支配しなければなりませんでした。[⑤]そして力の劣った守護大名は、実力をたくわえた家来にその地位を奪われていきました。[⑥]地侍や農民を治める力をもった者が、領国の支配者となり得ました。[⑦]こうして生まれた領国の支配者を**戦国大名**といいます。

[⑧]戦国大名は、**富国強兵**を目指して領国を支配しました。[⑨]戦国大名は、地侍を家臣に組み入れて強力な軍事組織をつくり上げ、土地と人民を支配して年貢の徴収をはかりました。[⑩]**甲斐**（山梨県）の**武田信玄**のように治水工事によって耕地を増やすとともに、鉱山の開発を積極的に行なう者もいました。[⑪]**今川氏**の『**今川仮名目録**』、武田氏の『**信玄家法**』のように**分国法**という領内だけに適用される法律をつくる戦国大名もいました。

38. The Development of the Cities and the Town People

[1] As industry and economy developed, cities were built
産業と経済が発達するにつれて　　　　　　　　　都市

all over the country. [2] In particular, Castle towns
全国各地に　　　　　　　　特に　　　　　城下町

developed around castles of *Sengoku-Daimyo*. [3] They
　　　　　　〜のまわりで　　　　　戦国大名

made powerful servants live near their castles and
　　　有力な家臣

gathered merchants and industrialists. [4] Castle towns
集めた　　　商人　　　　　　実業家

became the center of politics, economy and culture.
　　　　　　　　　　　　　政治・経済・文化

[5] On the other hand, some cities were self-governed by
　　一方　　　　　　　　　　　　　　　〜によって自治が行なわれた

powerful merchants and industrialists such as *Sakai*
　　　　　　　　　　　　　　　　　　　たとえば　　堺

and *Hakata*, which flourished by the trade with Ming.
　　博多　　　　　栄えた　　　　　　　　　　　　明

[6] Believers, merchants and industrialists got together
信者　　　　　　　　　　　　　　　　　　　　集まった

in the temples of *Ikko-shu*. [7] Such in-temple towns
　　　　　　　　一向宗　　　　　　　　　寺内町

were also self-governed.

[8] *Kyoto* was self-governed by rich merchants and
　　　　　　　　　　　　　　　　　裕福な

industrialists called town people. [9] They held again the
　　　　　　　　　　町衆

Gion-matsuri Festival after a long interval of the *Onin*
祇園祭　　　　　　　　　応仁の乱による長い休止の後

88

War. [10] Meanwhile, *Sakai* was self-governed during the

disturbance of war and kept peace. [11] It was reported to
  戦争の動乱   平和を保った

Europe through *Yasokaishi-nihon-tsushin*.
                『耶蘇会士日本通信』

38. 都市の発展と町衆

[1] 産業や経済の発達に伴って各地に都市が発達しました。[2] 特に戦国大名の居城を中心に**城下町**が発達しました。[3] 戦国大名は有力な家臣を城下に住まわせて、商工業者を呼び集めました。[4] そのため城下町は領内の政治・経済・文化の中心地となりました。

[5] 一方、明との貿易で栄えた**堺**や博多など、有力な商工業者による自治が行なわれた都市もありました。[6] 一向宗の寺院を中心に信者や商工業者が集まったところもありました。[7] そうした**寺内町**も自治的な都市でした。

[8] **京都**では**町衆**と呼ばれる裕福な商工業者による自治が行なわれていました。[9] **応仁の乱**によってとだえていた**祇園祭**を復興させたのも町衆の力です。[10] 堺は各地で戦国の動乱が続くなかも自治が進められ、平和が保たれていました。[11] このことは、『耶蘇会士日本通信』によって、ヨーロッパにも伝えられています。

39. Muromachi Culture

① In the *Muromachi* period, shogun and powerful

Shugo-Daimyo willingly absorbed *Kuge*'s culture, so
守護大名　　　　　　　　　　　吸収した　　　公家の文化

Buke's culture and *Kuge*'s culture were united.
武家の文化　　　　　　　　　　　　　　　　とけ合った

② *Ashikaga Yoshimitsu* established *Kinkaku-ji* villa in
足利義満　　　　　　　　　　　　金閣寺

Kitayama and the culture at that time is called
北山

Kitayama culture. ③ Around that time, *Kan-ami* and
北山文化　　　　　　　　　　　　　　　　観阿弥

Ze-ami perfected *no* play.
世阿弥　完成させた　能楽

④ *Ashikaga Yoshimasa* established *Ginkaku-ji* villa in
足利義政　　　　　　　　　　　　銀閣寺

Higashiyama and the culture at that time is called
東山

Higashiyama culture. ⑤ The architectural style, *Shoin-*
東山文化　　　　　　　　建築様式　　　　　書院造

zukuri, accepted the style of the temples, *Zenshu-jiin*,
　　　取り入れた　　　　　　　　　　　　禅宗寺院

and even now some houses are built in this style with

the garden of dry garden style. ⑥ Tea ceremony and
　　　　　　　枯山水　　　　　　　茶の湯

ikebana (flower arrangement) were also popular.
生け花

⑦ *Sesshu* developed his skill of sumi-e in Ming and drew
雪舟　磨いた　　　　　技術　水墨画　明

Japanese scenery after coming back to Japan.
日本の風景

⑧ The <u>verse</u> <u>linking</u>, *Renga*, became popular among
　　　韻文　つなぐこと　連歌

samurai and the common people <u>in place of</u> *Waka* (31-
　　　　　　　　　　　　　　　　　〜に代わって　　和歌

syllable Japanese poem). ⑨ Women and children liked

<u>stories with drawings</u> called *Otogi-zoshi* based on *The*
絵入りの物語　　　　　　　お伽草子

Inch-High Samurai, Urashima and the Kingdom
『一寸法師』　　　　　　『浦島太郎』

Beneath the Sea and so on.

---

39. 室町文化

①室町時代には、将軍や有力な守護大名が進んで公家の文化を吸収し、武家の文化と公家の文化とがとけ合った文化が生まれました。
②**足利義満**は、京都の北山に**金閣寺**を建てたので、このころ栄えた文化を**北山文化**といいます。③**観阿弥・世阿弥**が、**能楽**を大成させたのもこのころです。
④**足利義政**は、京都の東山に**銀閣寺**を建てたので、このころ栄えた文化を**東山文化**といいます。⑤**書院造**は、禅宗寺院の様式が取り入れられたもので、**枯山水**の庭などとともに現代の住居に息づいています。⑥**茶の湯**や**生け花**も流行しました。⑦**雪舟**は、明に渡って**水墨画**を深め、帰国後は日本の風景を描きました。
⑧和歌に代わって、**連歌**が武士や民衆に広まりました。⑨また、『**一寸法師**』、『**浦島太郎**』などの話をもとに**お伽草子**と呼ばれる絵入りの物語がつくられ、女性や子どもに親しまれました。

Column

Dog
イヌ

The Fact Dog-lovers Don't Want to Know
犬好きには知りたくない事実

Dogs have been close friends of human beings in both western and eastern countries. We have kept them as guard dogs, gone hunting with them and taken them to the battlefields. They are very useful animals.

Let me tell you two facts you may not believe.

First, people used dogs as targets. From the *Kamakura* period, samurai did various kinds of trainings to develop their military arts. The greatest suffering for dogs was *Inuoumono*(dog hunting). This was a training where dogs were used as targets for samurai on horseback to shoot arrows at. In the *Muromachi* period, there was one large *Inuoumono* in which 36 archers shot at 150 target dogs, though the arrows had no heads but round tops.

Second, people used to eat dogs. In the period of Emperor *Temmu*, they banned people from eating cows, horses, dogs, monkeys and chickens. There might have been a lot of people who ate them at that time.

　人間にとって最も関係の深い動物といえば、洋の東西を問わずイヌでしょう。番犬として、狩猟の供として、時には戦いの場にと、イヌは大活躍です。

　さて、「エェー、ウッソー！」というお話をしましょう。

　一つは、イヌが標的にされていたこと。鎌倉時代以来、武士たちは普段、自らの武芸をみがくためにさまざまな訓練をしていました。その中で、イヌの受難が「犬追物(いぬおうもの)」です。これはイヌを標的として、武士が馬上から弓矢を放つものです。室町時代には、射手36騎がイヌ150匹を狙うという大規模なものもありました。ただ、イヌを傷つけないように、矢の先端に矢じりは付けず、丸くしていましたが…。

　もう一つは、イヌは食用だったということ。古くは天武天皇の時に、「これよりウシ、ウマ、イヌ、サル、ニワトリを食べてはいけません」という禁令が出されました。イヌを食べる人が多かったのでしょう。

Chapter 3

Pre-Modern Times

The Unification of Japan and the Rise of Common People

《第3章》

近世

天下統一と庶民の台頭

40. The Arrivals of Guns and Christianity

① A Chinese ship with Portuguese passengers on was caught in a storm and got to the island, *Tanega-shima*, 嵐にあった　　　　　　〜に着いた　　　　　種子島
in 1543. ② They were the first Europeans in Japan. ③ Guns 鉄砲
arrived in Japan at that time. ④ *Sengoku-Daimyo* were 戦国大名
interested in guns and soon guns started to be made in 〜に興味があった
Sakai and other places. ⑤ Guns spread quickly and 堺　　　　　　　　　　　　　　　　　広まった
changed the tactics in war. ⑥ *Oda Nobunaga* won the 戦法を変えた　　　　　　　織田信長
Nagashino war using guns and defeated *Takeda* 長篠の戦い　　　　　　　　　　　　倒した　　　　武田勝頼
Katsuyori in 1575.

⑦ Spanish Francisco Xavier arrived in *Kagoshima* to スペイン人の　フランシスコ・ザビエル
teach Christianity in 1549. ⑧ He stayed for more than キリスト教を布教する
two years in *Yamaguchi*, *Kyoto* and *Bungo-funai*. 豊後府内
⑨ Missionaries built schools, hospitals and orphan 宣教師　　　　　　　　　　　　　　　　　　孤児院
homes, and they lined up support of people. ⑩ At that 〜の支持を取りつけた
time, Europeans were called *Nanban-jin* (Southern 南蛮人　　　　　　　　南の
barbarians) and Christians were called *Kirishitan*. 野蛮人　　　　　　　　　　　　　キリシタン

⑪Some *Daimyo* in *Kyushu* <u>protected</u> Christianity to
保護した

trade with Europeans. ⑫Among them, some *Daimyo*

themselves became <u>Christians</u> and they were called
キリスト教信者

<u>*Kirishitan-Daimyo*.</u>
キリシタン大名

---

40. 鉄砲とキリスト教の伝来

①1543年、**ポルトガル人**を乗せた中国船が、暴風雨にあって種子島（鹿児島県）に漂着しました。②日本に来た最初のヨーロッパ人でした。③このとき**鉄砲**が伝えられました。④鉄砲は戦国大名に注目され、短期間のうちに、堺（大阪府）などでつくられるようになりました。⑤鉄砲はたちまち広まり、戦いの際の戦法を変えました。⑥織田信長が鉄砲隊を活用し長篠の戦いに勝利して、武田勝頼を破るのは、1575年のことです。

⑦1549年には、スペイン人の**フランシスコ・ザビエル**がキリスト教を伝えるために、**鹿児島**に上陸しました。⑧ザビエルは、山口、京都、豊後府内（大分市）などで2年余り滞在しました。⑨宣教師は学校や病院・孤児院を建てるなどしたので、民衆の支持を得ていきました。⑩このころ、ヨーロッパ人は**南蛮人**と呼ばれ、キリスト教の信者は**キリシタン**と呼ばれていました。⑪九州の大名の中には、貿易をするために、キリスト教を保護する者もいました。⑫中にはキリスト教の信者になり、**キリシタン大名**と呼ばれる大名も現れました。

41. The Rise of Oda Nobunaga（織田信長の台頭）

When I was young,
I was called an idiot.
若いころは「うつけ者」
と呼ばれていたのだ。

I got the head of
Yoshimoto!
義元の首を取ったぞ！

織田信長は尾張（愛知県）の小大
名でした。

しかし桶狭間の戦いで大大名今川義元を
討ち取りました。

I've unified *Owari*. *Mino* is next.
尾張を統一した。次は美濃だ。

I'll back up
the shogun and rule
the whole country.
将軍の後ろ盾
として
天下に号令するぞ！

信長は、勢力を拡大していきました。

信長は足利義昭を助け、京に入りました。

The *Muromachi*
shogunate was
ruined.
室町幕府が
滅びてしまった。

やがて信長は足利義昭を追放しました。

信長は鉄砲にいち早く注目しました。

鉄砲を巧みに使って甲斐(山梨県)の武田氏を長篠の戦いで破りました。

信長は安土城を築き、楽市・楽座を行ないました。

信長はキリスト教を保護する一方、比叡山や一向一揆は弾圧しました。

97

42. Oda Nobunaga's Ambition to Unify Japan

① *Oda Nobunaga* was a small *Daimyo* but he set out to
織田信長　　　　　　　　　　小大名　　　　　　　　　～することを目指した

unify Japan after winning the *Okehazama* War in 1560.
統一する　　　　　　　　　　　桶狭間の戦い

② He took control of the *Tokai* area and captured
～を支配した　　　　　　東海地方　　　　　占領した

Kyoto, and helped *Ashikaga Yoshiaki* become shogun.
　　　　　～が…するのを助ける　足利義昭

③ Nevertheless, he kicked *Yoshiaki* out of *Kyoto* in
　　　　　　　　～を…から追放した

1573 and the *Muromachi* shogunate was ended.
　　　　　　　　　　　　　　　　　　滅びた

④ *Nobunaga* suppressed any movements that blocked
　　　　　　押さえた　　　　　　　　　　　　　妨げた

his unification. ⑤ He burned *Enryaku-ji* temple and
　　　統一　　　　　　焼いた　　延暦寺

kept down *Ikko-ikki* without mercy. ⑥ He brought
鎮圧した　一向一揆　　容赦なく　　　　　～を降伏させた

Ishiyama-hongan-ji temple to terms. ⑦ *Nobunaga*

protected Christianity partly because he wanted to set
保護した　キリスト教　～という理由もあって

up against hostile Buddhists.
～に対抗する　敵対的な仏教徒

⑧ *Nobunaga* pushed new policies and took in economic
　　　　　　新しい政策を進めた　　　　　　取り込んだ

power of merchants and industrialists. ⑨ *Kyoto* and
　　　　　商人　　　　　　実業家

Sakai self-governed by great merchants became under
　　　～によって自治された

control of *Nobunaga*. ⑩ The law, *Rakuichi-Rakuza-rei*
～の支配下に　　　　　　　　　　　　　　楽市·楽座令

was enacted and merchants and industrialists could do
制定された

business freely in the castle town of *Azuchi-jo* castle.
　　　　　　　　　　　城下町　　　　　安土城

⑪*Nobunaga* carried out new policies and tried to unify
　　　　　　実行した

Japan but he killed himself in *Honno-ji* temple in 1582
　　　　　自殺した　　　　　本能寺

due to the betrayal of his servant, *Akechi Mitsuhide*.
～のために　裏切り　　　　家臣　　明智光秀

---

42. 織田信長の天下統一事業

①**織田信長**が一小大名から天下をうかがう転機となったのは、1560 年の**桶狭間の戦い**での勝利でした。②東海地方に勢力を広げた信長は京都へのぼり、足利義昭を将軍職につけさせました。③その後義昭を 1573 年には京都から追放、室町幕府を滅ぼしました。

④信長は、統一を妨げる勢力には厳しく対応しました。⑤延暦寺は焼き討ちにし、一向一揆も容赦なく弾圧しました。⑥石山本願寺も降伏させました。⑦信長はキリスト教を保護しましたが、これは敵対的な仏教徒への対抗という側面もあったのです。

⑧信長は伝統にとらわれない政策を進め、商工業者の経済力の取り込みをはかりました。⑨大商人によって自治されていた京都や堺は、信長の直接支配のもとに置かれました。⑩安土城などの城下には**楽市・楽座**令が出され、誰でも自由に商工業ができるようになりました。

⑪新しい政策を実行に移し、全国統一をめざした信長でしたが、1582 年、家臣の**明智光秀**に背かれて本能寺で自殺しました。

1582 年

We'll make war against *Mori* in the *Chugoku* area.
中国の毛利氏を攻めるぞ！

Leave it to me.
秀吉に
お任せを。

I'll go to help *Hideyoshi*.
秀吉を助けてやろう。

織田信長は天下統一に向け、豊臣秀吉に毛利氏攻めを命じました。

しかし毛利氏はなかなか降伏せず、秀吉は苦戦しました。

Mitsuhide, you go ahead.
光秀よ、
先に出発せよ。

Yes, sir.
ははっ。

There are only a few retainers around *Nobunaga*.
信長様のまわりには
わずかな数の家来しかいないぞ。

光秀は秀吉への援軍を率いて出発しました。

光秀は翻意しました。

Our enemy is at *Honno-ji* temple!
敵は本能寺にあり！

光秀は途中で進路を変え、京に向かいました。

光秀は本能寺の信長を襲いました。

信長は自害しました。

秀吉は信長の死の知らせを聞くと、毛利氏と和睦して京都に戻ることにしました。

山崎の戦いで光秀を破りました。

光秀を倒した秀吉は天下人へ上りつめていきました。

44. Toyotomi Hideyoshi's Unification of Japan

① *Toyotomi Hideyoshi* took over the unification of
豊臣秀吉　　　　　　　　　　　　受け継いだ　　　　　天下統一

Japan from *Nobunaga*. ② When the *Honno-ji* temple
　　　　　　　　　　　　　　　　　　　　　　　　本能寺の変

Incident happened, *Hideyoshi* was in the *Chugoku*
　　　　　　　　　　　　　　　　　　　　　　　　　　　中国地方

area. ③ He went back to *Kyoto* and defeated *Akechi*
　　　　　　　　　　　　　　　　　　　　　　　　　　　明智光秀

Mitsuhide. ④ Next, he defeated *Shibata Katsuie*,
　　　　　　　　　　　　　　　　　　　　　　　柴田勝家

Nobunaga's powerful servant. ⑤ Therefore, he became

the successor of *Nobunaga*.
後継者

⑥ *Hideyoshi* established *Osaka-jo* castle as his base.
　　　　　　　　　　　築いた　　　大坂城　　　　　　　　本拠地

⑦ He defeated *Chosokabe Motochika* in 1585, *Shimazu*
　　　　　　　　長宗我部元親　　　　　　　　　　　島津義久

Yoshihisa in 1587 and *Hojo Ujimasa* in 1590. ⑧ Further,
　　　　　　　　　　　　　　　北条氏政

he brought *Date Masamune* to his knees. ⑨ At last,
　　　屈服させた

he unified Japan.

⑩ *Hideyoshi* carried out *Taiko-kenchi* (the Cadastral
　　　　　　　　　　　　　　　太閤検地　　　　　　　　地籍についての

Surveys by *Taiko*) in 1582 to rule the land and people.
調査　　　　　　　　　　　　　　　　支配する

⑪ As a result, peasants had a duty to pay tributes to
　　その結果　　　　　　　　　　　〜する義務を負った　　　年貢

samurai and they could not leave their land without
　　　　　　　　　　　　　　　　　　　　　　　　　　　　許可なく

permission. [12] He also carried out *Katana-gari* (the
　　　　　　　　　　　　　　　　　　　　　　刀狩

Order of Sword Hunt) in 1588 to take up swords and
　　　　　　　　　　　　　　　　　　取り上げる　　刀

spears from peasants. [13] They could not rise in *Ikki* any
槍　　　　　　　　　　　　　　　　　　　　一揆を起こす

more. [14] *Kenchi* and *Katana-gari* divided peasants from
　　　　　　　　　　　　　　　　　　　分けた

samurai clearly and established a feudalistic class system.
　　　　　　　　　　　確立した　　　　封建的な身分制度

---

44. 豊臣秀吉の全国統一

①織田信長の天下統一事業を受け継いだのが、**豊臣秀吉**です。
②秀吉は、本能寺の変が起こったとき、中国地方に出陣中でした。③しかし京都へ引き返し、明智光秀を討ちました。④その後信長の有力な家臣であった柴田勝家を破りました。⑤その後秀吉は、信長の後継者の地位につきました。

⑥秀吉は、**大坂城**を築いて本拠地としました。⑦1585年に長宗我部元親、1587年に島津義久を従え、1590年に北条氏政を滅ぼしました。⑧さらに伊達政宗を屈服させました。⑨ついに秀吉は全国を統一しました。

⑩秀吉は、土地と人民を支配するため、1582年に**太閤検地**を行ないました。⑪その結果、農民は武士に対する年貢納入の義務を負わされ、土地を勝手に離れられなくなりました。⑫1588年には、農民から刀や槍などの武器を取り上げる**刀狩**をしました。⑬農民たちに一揆を起こさせないようにするためです。⑭検地と刀狩によって**兵農分離**が進み、封建的な身分制度が確立しました。

45. Hideyoshi's Diplomatic Policy and Sending Army to Korea

①From the middle of the 16th century, <u>Portuguese</u> and
ポルトガル人

<u>Spanish</u> traded with Japan. ②This is called *Nanban*
スペイン人   南蛮貿易

<u>trade</u>. ③*Hideyoshi*, who <u>protected</u> *Nanban* trade,
保護した

<u>allowed</u> <u>Christianity</u> at first but he thought it would
認めた   キリスト教

<u>block</u> the unification of Japan and <u>ordered</u> <u>the</u>
妨げる   命じた

<u>deportation</u> of <u>missionaries</u> in 1587.
国外追放   宣教師

④After the unification of Japan, *Hideyoshi* planned to

defeat Ming. ⑤He <u>required</u> Korea to <u>obey</u> Japan and to
要求した   従う

let his army <u>pass through</u> it to Ming, but Korea
～を通って

<u>refused</u>. ⑥*Hideyoshi* <u>gathered</u> *Daimyo* and <u>sent</u>
断った   集めた

<u>army to Korea</u>. ⑦This is called *Bunroku* invasion of
～へ出兵した   文禄の役

<u>Korea</u>. ⑧Japanese army <u>occupied</u> the capital,
日本軍   占領した

<u>Hancheng</u>, and <u>invaded</u> northern Korea. ⑨Japan,
漢城   侵略した

however, <u>had a hard fight</u> because of <u>Yi Sun-Shin's</u>
苦しい戦いをした   李舜臣

navy, the <u>resistance</u> of the Korean people and the
水軍   抵抗

reinforcements of Ming. ⑩Japan <u>made a cease-fire with</u>
援軍   ～と休戦した

Korea.

⑪ *Hideyoshi* sent army to Korea again in 1597. ⑫ This is called *Keicho* invasion of Korea. ⑬ Japan continued
　　　　　　　慶長の役
invading Korea but *Hideyoshi* died <u>the following year</u>
　　　　　　　　　　　　　　　　　　　　　　　翌年
and Japan <u>pulled its troops</u>.
　　　　　　　撤兵した

---

45. 秀吉の対外政策と朝鮮出兵

① 16 世紀中ごろ、ポルトガル人やスペイン人と貿易を行ないました。② これを**南蛮貿易**といいます。③ 南蛮貿易を保護していた豊臣秀吉は、はじめキリスト教を認めていましたが、天下統一の妨げになると考え、1587 年に宣教師の国外追放を指令しました。

④ 秀吉は、国内統一を実現したころから、明の征服を計画していました。⑤ そこで秀吉は、朝鮮に対して、日本への服属と明への通行許可を求めましたが、朝鮮はそれを断りました。⑥ そこで、秀吉は大名を動員し、朝鮮に大軍を送り込みました。⑦ これを**文禄の役**といいます。⑧ 日本軍は首都の漢城(ソウル)を占領し、朝鮮北部まで侵略しました。⑨ しかし、李舜臣の水軍の活躍や、朝鮮民衆の抵抗、明の援軍などに苦しみました。⑩ そこで、いったん休戦しました。

⑪ 秀吉は、1597 年、ふたたび朝鮮に出兵を命じました。⑫ これを**慶長の役**といいます。⑬ 日本軍は侵略を続けましたが、翌 1598 年、秀吉の死とともに撤退しました。

46. Momoyama Culture

① The culture of the period of *Nobunaga* and *Hideyoshi* is called *Momoyama* culture. 桃山文化 ② Commerce 商業 and trade flourished and the production of gold and 貿易 栄えた 産出 silver increased in this period. 増えた ③ New *Daimyo* and 新興の大名 great merchants who got power and wealth lived in 大商人 権力 富 豪勢な暮らし style. ④ *Momoyama* culture represents their power and をしていた 象徴する wealth.

⑤ Stately castles that show the power of the rulers 壮麗な城 支配者 are typical of *Momoyama* culture. ⑥ These castles had ~を代表する high towers and grand palaces. ⑦ Pictures using gold 高い天守閣 豪華な御殿 絵画 and silver were displayed inside. ⑧ *Kano Eitoku* and 飾られた 狩野永徳 *Kano Sanraku* were famous painters. 狩野山楽 ⑨ Tea ceremony was popular among *Daimyo* and great 茶の湯 merchants. ⑩ *Sen-no-Rikyu* perfected the world of 千利休 完成させた *Wabi-cha*. 詫び茶 ⑪ People positively enjoyed their life as *Uki-yo*. 積極的に 浮き世 ⑫ The

puppet play, *Joruri*, accompanied by *Shamisen* and
浄瑠璃   三味線

Kabuki dance was popular.
歌舞伎踊り
⑬ *Momoyama* culture came under the influence of
                    〜の影響を受けた

European culture. ⑭ Cigarettes, sponge cakes and
                    タバコ   カステラ

playing cards were introduced in this period.
カルタ   伝えられた

46. 桃山文化

①信長や秀吉の時代の文化を**桃山文化**といいます。②この時代、商業や貿易が盛んとなり、金・銀の産出が増加しました。③権力や富を手に入れた新興の大名や大商人たちは豪華な暮らしをしていました。④桃山文化は彼らの富と力を象徴する文化でした。

⑤桃山文化を代表するのは、支配者の権威を示す壮大な城です。⑥城には高くそびえる**天守閣**や豪華な御殿がつくられました。⑦内部は金銀をふんだんに使った障壁画で飾られました。⑧絵師としては**狩野永徳**や**狩野山楽**が知られています。

⑨大名や大商人たちの間では**茶の湯**が流行しました。**千利休**は詫び茶の世界を完成しました。

⑪また、この時代は現世を浮き世として肯定的に楽しむ風潮がありました。⑫三味線の演奏に合わせた**浄瑠璃**が流行し、**歌舞伎踊り**が人気を集めました。

⑬ヨーロッパ文化の影響を受けているのも桃山文化の特色です。⑭タバコ、カステラ、カルタなどはこの時代に伝えられたものです。

47. The Battle of Sekigahara（関ヶ原の戦い）

I leave *Hideyori* in your hands.
秒頼をよろしく頼むぞ。

My lord.
殿っ！

豊臣秒吉が亡くなったとき、後継ぎの秒頼は6歳でした。

You have an eye to becoming the next shogun.
家康め、天下を奪うつもりだな。

秒頼をもり立てる石田三成と徳川家康の対立が深まりました。

I'm not fond of *Mitsunari*.
三成は好かん。

Let's take the side of *Ieyasu*.
家康の味方をしよう。

古くからの秒吉の家臣たちは三成をきらい、家康側につきました。

Let's join forces to defeat *Ieyasu*.
みんなで家康を倒しましょう。

毛利氏

島津氏

宇喜多氏

三成は西国の大名を誘って家康に対抗しました。

I'll give you a reward if you take my side.
私の味方になればほうびをあげますよ。

家康は各地の大名に手紙を書き、味方を増やしました。

そして天下分け目の関ヶ原の戦いが始まりました。

毛利氏をはじめ、西軍(三成側)に裏切りが続出しました。

どちらにつくか悩んでいた大名も多くが東軍(家康側)につきました。

戦いは東軍の勝利に終わりました。

やがて家康の天下となりました。

109

48. The Establishment of the Edo Shogunate

① *Tokugawa Ieyasu* strengthened his influence in the
徳川家康　　　　　　　　　　　勢力をのばした

Tokai area and later he obeyed *Toyotomi Hideyoshi*.
　　　　　　　　　　　　　従った

② When *Hideyoshi* unified Japan in 1590, *Ieyasu*
　　　　　　　　　統一した

received the *Kanto* area from *Hideyoshi* and moved to
得た　　　　　　　　　　　　　　　　　　　　　〜へ移った

Edo as a big *Daimyo* with 2,500,000 *goku* (the measure
　　　　　　　　　　　　　　250万石

of capacity) . ③ After the death of *Hideyoshi* in 1598,

Ieyasu came to be at the helm of the government.
　　　　　　　実権を握るようになった

④ *Ishida Mitsunari* wanted to maintain the
石田三成　　　　　　　　　　　　　　維持する

administration by the *Toyotomi* family and came to
　　　　　　　　　　　豊臣家

conflict with *Ieyasu*. ⑤ Finally, in 1600, the battle of
〜と対立する　　　　　　　　　　　　　　　　　　関ヶ原の戦い

Sekigahara broke out between *Ieyasu* (East Army)
　　　　　　　起こった　　　　　　　　　　　　　東軍

and *Mitsunari* (West Army). ⑥ *Ieyasu* won the war
　　　　　　　　　西軍　　　　　　　　　　　　　勝った

and *Daimyo* all over the country came to obey *Ieyasu*.

⑦ After the war, *Ieyasu* got power to rule the whole
　　　　　　　　　　　　　〜する権力を得た

country. ⑧ In 1603, he was appointed to be *Seii-tai-*
　　　　　　　　　　　　　任命された　　　　　　　　征夷大将軍

shogun and established the *Edo* shogunate. ⑨ Two
　　　　　　　開いた　　　　　　　　江戸幕府

110

years later, *Ieyasu* passed the title on to his son,
将軍の職を~に譲った

Hidetada. ⑩ The *Toyotomi* family was still in *Osaka-jo*
秀忠

castle. ⑪ So *Ieyasu* attacked *Osaka-jo* castle in 1614
攻めた

(the Winter War in *Osaka*), but in vain. ⑫ At last, he
大坂冬の陣

ruined the *Toyotomi* family in the Summer War in
滅ぼした　　　　　　　　　　　　　　大坂夏の陣

Osaka in 1615.

---

48. 江戸幕府の成立

①徳川家康は、東海地方で勢力をのばし、豊臣秀吉に従いました。②1590年、秀吉が全国統一を達成すると、関東地方を与えられ、250万石の大大名として江戸に移りました。

③1598年に秀吉が亡くなったのち、家康は政治の実権を握るようになりました。④豊臣氏による政権を維持しようとしていた石田三成は、家康と対立するようになりました。⑤1600年、家康の率いる東軍と、三成を中心とする西軍による**関ヶ原の戦い**が起こりました。⑥家康は勝利を得て、この結果全国の大名は家康に従うことになりました。

⑦関ヶ原の戦いののち、家康は全国支配の実権を握りました。⑧1603年には征夷大将軍に任命されて**江戸幕府**を開きました。⑨2年後、家康は将軍の職を子の秀忠に譲りました。⑩しかし、大坂城には依然として豊臣氏が残っていました。⑪そのため、1614年、大坂城を攻めました（**大坂冬の陣**）が攻めきることができませんでした。⑫翌1615年、再び大坂城を攻めて（**大坂夏の陣**）、ついに豊臣氏を滅ぼしました。

49. The System of the Rule by the Edo Shogunate

① The system of the *Edo* shogunate was almost completed
江戸幕府　　　　　　　　　　　　　　ほぼ完成された

by the 3rd shogun, *Tokugawa Iemitsu*. ② *Daimyo*
〜までに　　　　　　　　徳川家光

(feudal lords) could govern their own territories. ③ The
　　　　　　　　　　　治める　　　　　　　　　　領地

Daimyo's territory and the system of their rule is called
大名の領地　　　　　　　　その支配のしくみ

Han, and the system of ruling over land and people by
藩　　　　　　土地と人民を支配するしくみ

the shogunate and *Han* is called the shogunate system.
幕府と藩による　　　　　　　　　　幕藩体制

④ The biggest problem was how to control *Daimyo*.
　　　　　　　　　　　　　　　　統制する

⑤ The shogunate divided *Daimyo* into three groups:
　　　　　　　　　分けた　　　　〜に分けた

Shimpan (feudal lords with long relationship), *Fudai*
親藩　　　　　　　　　　　　　　　　　　　　譜代

(feudal lords with middle relationship) and *Tozama*
　　　　　　　　　　　　　　　　　　　　　外様

(feudal lords with short relationship). ⑥ The shogun

used his brain to arrange *Daimyo* to make them keep
工夫して〜した　　　　　　　　　　　　　　　　監視する

watch over one another. ⑦ The shogunate enacted the
　　　　　　　互いに　　　　　　　　　　　制定した

Laws for the Military Houses in 1615 to restrict *Daimyo*
武家諸法度　　　　　　　　　　　　　　制限する

from building castles and marriage between *Daimyo*
　　　築城　　　　　　　　大名同士の結婚

families, and also enacted *Sankin-kotai-no-sei* (the
　　　　　　　　　　　　　　参勤交代の制

112

System of Mandatory Alternate Residence in *Edo* by

Daimyo) to <u>weaken</u> *Daimyo*'s economic power.
　　　　　　弱める

⑧ Moreover, the shogunate <u>controlled</u> the <u>Emperor</u>,
　　　　　　　　　　　　　　統制した　　　　天皇

Kuge, temples and shrines. ⑨ The shogunate <u>forbade</u>
公家　　寺社　　　　　　　　　　　　　　　　　　　　　〜を禁じた

the Emperor from <u>getting involved in</u> the government
　　　　　　　　　　　　〜に関わること

by <u>the Laws Governing the imperial Court Nobility</u>.
　　禁中並公家諸法度

---

49. 江戸幕府の支配のしくみ

①江戸幕府のしくみは、3代将軍**徳川家光**の時代までにほぼ固まりました。②幕府は大名が領地で政治を行なうことを許しました。③大名の領地とその支配のしくみを**藩**といい、このような幕府と藩による土地と人民を支配するしくみを**幕藩体制**といいます。

④幕府が政権を維持するうえで最大の問題は、大名をいかに統制していくかということでした。⑤幕府は大名を**親藩**、**譜代**、**外様**に分けました。⑥大名の配置も、互いに監視させるよう巧みに工夫されました。⑦さらに、1615年には**武家諸法度**を発布して、築城や大名同士の結婚などについて厳しく制限し、1635年には**参勤交代**の制を整えて、大名の経済力を弱めようとしました。

⑧幕府の統制は天皇や公家、寺社にも及びました。⑨天皇や公家に対しては**禁中並公家諸法度**で政治に関わることを禁止しました。

① From the end of the 16th century, Japanese people
16世紀の終わり

frequently went abroad. ② Many merchants went to
海外へ行った　　　　　　商人

Southeast Asia. ③ *Hideyoshi* protected these merchants
東南アジア　　　　　　保護した

and encouraged them to trade.
～するように奨励した

④ *Ieyasu* tried to energize the trade with neighboring
家康　　　　盛んにする　　　　　　近隣の諸国

countries. ⑤ Therefore, he gave the *Daimyo* in *Kyushu*

and great merchants *Shuin-jo* to travel abroad.
朱印状

⑥ *Shuin-jo* was a document sealed in vermilion by the
公文書　　　朱印が押された

ruler and the trade done by *Shuin-sen* (vermilion-seal
支配者　　　　　　　　　朱印船

ships) was called *Shuin-sen* trade.
朱印船貿易

⑦ A lot of Japanese people came to live in the cities in

Southeast Asia such as Luzon, Annam and Siam, and
ルソン　アンナン　シャム

they built self-governing Japanese towns all around
自治制を敷いた　日本町

there.

⑧ Among the Japanese people who went abroad,

Yamada Nagamasa is the most famous. ⑨ He was a
山田長政　　　　　　　　最も有名な

boss of a Japanese town and was given an important
長
post, *Taishu*, by the royal family of Siam.
位　　太守　　　　　シャムの王室
⑩*Shuin-sen* trade ended at the beginning of the 17th

century because the shogunate enforced strict control
　　　　　　　　　　　　　　　　　　〜の取り締まりを厳しくした
over Christianity.
　　キリスト教

---

50. 朱印船貿易と日本町

①16世紀末ごろから、日本人の海外進出は盛んになりました。②東南アジアに渡る商人も多くなりました。③豊臣秀吉はこれらの商人を保護し、貿易を奨励しました。

④徳川家康も、近隣の諸国との貿易を盛んにしようとしました。⑤そのため、九州の大名や大商人に海外渡航を許可する**朱印状**を与えました。⑥朱印状とは、支配者の朱印が押された公文書のことで、朱印状を与えられた朱印船によって行なわれた貿易を**朱印船貿易**といいます。

⑦ルソン(現在のフィリピン)、アンナン(ベトナム)、シャム(タイ)などの東南アジアには、日本人がたくさん住みつくようになり、自治制を敷いた**日本町**が各地につくられるようになりました。

⑧渡航した日本人のなかで、特に有名な人物は**山田長政**です。⑨彼は日本町の長でしたが、シャムの王室で重く用いられ、太守(長官)となりました。

⑩朱印船貿易は、17世紀の前半、キリスト教の取り締まりが厳しくなり、廃止されました。

51. The Ban on Christianity and the National Seclusion

①Initially, the *Edo* shogunate tried to develop trade. ②As
　　当初　　　　　江戸幕府　　　　　　　　　　発展させる

a result, trade flourished and Christianity spread
その結果　　　　　栄えた　　　　　キリスト教

through missionaries at the same time, but Christianity
宣教師を通して

threatened to collapse the system of the shogunate
　　　　　崩壊させる

which was based on *Shi-no-ko-sho* (the class system
　　　～を基礎とした　　士農工商　　　　　　　　身分制度

that ranks Samurai at the top, followed by peasants,

craftsmen and merchants). ③Therefore, the shogunate

banned Christianity.
禁じた

④The shogunate enacted the anti-Christian edict in its
　　　　　　　　制定した　　　　禁教令

direct territories in 1612 and applied it to all over the
直轄領　　　　　　　　　　　　～を…に適用した

country the following year.

⑤In 1637, *Shimabara-Amakusa-ikki* broke out.
　　　　　島原・天草一揆　　　　　　起こった

⑥*Kirishitan* (Christian) peasants rose in this *ikki*
　キリシタン　　　　　　　　　　　　この一揆を起こした

(riot) but it was broken down. ⑦After that, the

shogunate put the people through the stamping on a
　　　　　…に～を受けさせる　　　　　踏絵

picture of Christ, listed all the people on the list,
　　　　　　　　　　　～に記した

Shumon-aratame-cho, as Buddhists, and forced them
宗門改帳   仏教徒

to belong to temples. [8] This system is called *Terauke-*
~に属する   寺請制度

seido.

[9] The shogunate banned the Portuguese entry into Japan
                         ポルトガル人の   来航

in 1639. [10] This policy of the shogunate is called *Sakoku*
                政策   鎖国

(the National Seclusion) and lasted for 200 years.
                             続いた   200年間

51. 禁教と鎖国

[1]江戸幕府は成立当初、貿易の発展に努めました。[2]その結果、貿易は盛んになり、キリスト教が来日した宣教師を通して広まっていきましたが、キリスト教の信仰は、士農工商の身分制度の上に成り立っている幕府のしくみを崩壊させる危険がありました。[3]そのため、幕府はキリスト教を禁止していきました。

[4]1612年、幕府は直轄領に**禁教令**を出し、翌年にはこれを全国に広めました。

[5]1637年、九州で**島原・天草一揆**が起こりました。[6]これは、キリシタンを中心とする農民が起こした一揆でしたが、鎮圧されました。[7]幕府はこののち、**踏絵（絵踏）**を行ない、すべての人民を仏教徒として宗門改帳に記し、いずれかの寺の信徒としました。[8]この制度を**寺請制度**といいます。

[9]1639年、幕府はポルトガル人の来航を禁止しました。[10]このような幕府の政策を**鎖国**といい、以後200年にわたって続くことになりました。

52. The Three Capitals: Edo, Osaka and Kyoto

①The *Edo* shogunate and *Han* developed new fields by
江戸幕府　　　　　　　藩　　開発した　　新田

building irrigation canals and reclaiming land by
用水路　　　　　　　　　開墾すること

drainage. ②Improvement and invention of farm tools
排水法によって　改良　　　　　発明　　　　農具

increased agricultural production. ③In this period,
農業生産

traffic networks were improved and the flow of goods
交通網　　　　　整備された　　　　　商品の流通

increased, so cities all over the country flourished.

④Among them, *Edo*, *Osaka* and *Kyoto* prospered and
江戸　　大坂　　　京都　　繁栄した

they were called the three capitals, *San-to*.
三都

⑤*Edo* was called the shogun's home territory and
将軍のお膝元

flourished as the center of the government.
政治の中心

⑥*Osaka* was called the kitchen of Japan and was a
天下の台所

big commercial city. ⑦*Han* all over the country
大商業都市

built storerooms there and sold rice and local products.
蔵　　　　　　　　　　　　　　　　特産物

⑧Regular shipping routes were introduced between
定期航路　　　　　　　開かれた

Osaka and *Edo*, and commodities people in *Edo*
日用品

needed were transported from *Osaka*.
輸送された

⑨The Emperor and *Kuge* (court nobles) lived in *Kyoto*.
天皇　　　　　公家

⑩There were many temples and shrines. ⑪Traditional
　　　　　　　　寺院　　　神社　　　　伝統的な

handicraft industry typical of *Nishijin* brocade and
手工業　　　　　～に代表される　西陣織

Kyoto dye goods flourished.
京染

---

52. 三都〜江戸・大坂・京都

①江戸幕府や各藩は、土地の開墾に力を入れ、用水路をつくったり、干拓したりして、新田開発を進めました。②また、農具の改良や発明があり、農業生産は増えました。③この時期は、交通路が整備され、商品の流通が盛んになり、各地の都市は栄えました。④特に、**江戸・大坂・京都**は繁栄し、**三都**と呼ばれました。

⑤**江戸**は「**将軍のお膝元**」と呼ばれ、政治の中心地として繁栄しました。

⑥**大坂**は「**天下の台所**」と呼ばれる大商業都市でした。⑦全国の藩が**蔵屋敷**を建て、年貢米や特産物を販売しました。⑧大坂と江戸との間には定期航路が開かれ、江戸の住民の生活に必要な物資が大坂から送られるようになりました。

⑨**京都**には天皇や公家が居住していました。⑩多くの寺院や神社がありました。⑪西陣織や京染に代表される、伝統的な手工業が盛んでした。

53. The Government by Tokugawa Tsunayoshi and the Shotoku-no-chi

① The 5th shogun, *Tokugawa Tsunayoshi*, was a
徳川綱吉

bookman and tried to govern the country by Confucian
学問好き   儒学の教え

teachings. ② This is called *Bunchi-shugi* (the principles
文治主義

of civilian government). ③ Nevertheless, at the end of

his era, he indulged in luxury and the shogunate
ぜいたくにふけった

gradually faced financial difficulties.
直面した 財政難

④ *Tsunayoshi* debased the currency and issued more
貨幣の質を落とした   発行した

coins to improve his finances. ⑤ This policy caused a
改善する   ひき起こした

boost in prices and disrupted the economy. ⑥ On the
物価の上昇   混乱させた

other hand, he enacted the law, *Shorui-awaremi-no-rei*, to
制定した   生類憐みの令

prohibit the killing of animals. ⑦ *Tsunayoshi* was called
禁じる   殺生

Inu-kubo (dog-lover shogun) because he made the
犬公方   ～を大切にする

most of dogs among others. ⑧ This period is called the

Genroku period.
元禄時代

⑨ *Ienobu* became the shogun after *Tsunayoshi* and
家宣

repealed the *Shorui-awaremi-no-rei* and selected *Arai*
廃止した   登用した   新井白石

Hakuseki to carry out political reform.
　　　　　　実行する　　　政治改革

⑩ *Arai Hakuseki* minted good coins and tried to
　　　　　　　　　発行した

control price increases. ⑪ He restricted *Nagasaki* trade
物価の上昇を抑えた　　　　　　　制限した

to prevent the outflow of gold and silver and to
　　抑える　　　　　　金と銀の流出

re-establish the economy of the shogunate.
立て直す

53. 徳川綱吉の政治と正徳の治

①第5代将軍**徳川綱吉**は学問好きであり、儒学の教えを広める
ことで、世の中を治めようとしました。②この考えを**文治主義**
といいます。③しかし、治世の後半になると、生活がぜいたく
になり、幕府はしだいに財政難に陥りました。

④このため、綱吉は貨幣の質を落として、その分貨幣の数量を
多く発行し、財政の不足を補おうとしました。⑤この政策は物
価の上昇をひき起こし、経済を混乱させることになりました。
⑥また、綱吉は、**生類憐みの令**を出し、生き物の殺生を禁じま
した。⑦なお、綱吉は、生き物のなかでも特に犬を大切にした
ため、「**犬公方**」といわれました。⑧綱吉が将軍であった時代を
元禄時代といいます。

⑨綱吉にかわって将軍となった家宣は、生類憐みの令を廃止す
るとともに、**新井白石**を登用し、政治改革にあたらせました。
⑩新井白石は質の良い貨幣を発行して、物価の上昇を抑えよう
としました。⑪さらに**長崎貿易を制限**して、金や銀の流出を抑え、
財政の立て直しをはかりました。

54. Genroku Culture

①In the *Genroku* period, society was stabilized, and
　　　元禄時代　　　　　　　　　安定した
commerce and industry developed. ②Townspeople
商工業　　　　　　　　発展した　　　　町人
produced a vigorous and colorful culture. ③This culture
生み出した　活気ある華やかな文化
is called *Genroku* culture.
　　　　元禄文化

④*Ihara Saikaku*, *Chikamatsu Monzaemon* and *Matsuo*
　井原西鶴　　　　近松門左衛門　　　　　　松尾芭蕉
Basho were famous writers in the *Genroku* period.

⑤*Ihara Saikaku* wrote *The Man Who Spent His Life at*
　　　　　　　　　　　　　　『好色一代男』
Love-Making and so on, describing everything about

the social situation and mode of life in this period. ⑥These
世相　　　　　　　　　風俗
works are called *Ukiyo-zoshi*.
　　　　　　　浮世草子

⑦*Chikamatsu Monzaemon* wrote scripts of the puppet
　　　　　　　　　　　　　　　　脚本
show, *Ningyo-joruri*, and Kabuki, describing tragedy
　　　人形浄瑠璃　　　　　　　　　　　　　悲劇
in the world of love and duty. ⑧*Ningyo-joruri* gained
義理と人情の世界　　　　　　　　　　　　人気を得た
popularity by the narration of *Takemoto Gidayu*.
　　　　　語り　　　　　　　竹本義太夫

⑨*Matsuo Basho* was a haiku (17-syllable Japanese
　　　　　　　　俳人
poem) poet and gave haiku great artistic value. ⑩He
　　　　　　　　俳諧　　高い芸術的価値

traveled all over the country and wrote excellent
優れた

works, such as *The Narrow Road to Deep North*.
『おくのほそ道』

⑪ *Ogata Korin* completed colorful decorative paintings.
尾形光琳　　　　　完成させた　　　　　　　装飾画

⑫ *Hishikawa Moronobu* painted ukiyoe such as
菱川師宣　　　　　　　　　　　　　浮世絵

Mikaeri-bijin-zu (Beauty Looking Back).
見返り美人図

---

54. 元禄文化

①元禄時代は、世の中が安定し、商工業が発達しました。②こうした中で、町人は、活気ある華やかな文化を生み出しました。③この文化を**元禄文化**といいます。

④**井原西鶴・近松門左衛門・松尾芭蕉**は、元禄時代の文学を代表する人物です。

⑤**井原西鶴**は、現実の世相や風俗を描き、『好色一代男』などの作品を残しました。⑥これらの作品は、**浮世草子**と呼ばれています。

⑦**近松門左衛門**は、**人形浄瑠璃**や歌舞伎の脚本を書き、義理や人情の世界の悲劇を描きました。⑧人形浄瑠璃は竹本義太夫の語りによって人気を得ました。

⑨**松尾芭蕉**は俳人で、**俳諧**の芸術的価値を高めました。⑩また日本各地を旅し、『おくのほそ道』など優れた作品を残しました。

⑪**尾形光琳**は、華やかな**装飾画**を完成させました。⑫**菱川師宣**は、『見返り美人図』などの**浮世絵**を描きました。

55. The Reform of Kyoho

① In the *Genroku* period, the flow of goods increased
元禄時代　　　　　　　　　　　商品の流通
and a money economy developed. ② Therefore, the
貨幣経済　　　　　　　　　　　　　　　　　　　　幕府
shogunate and *Han* that were based on self-supporting
藩　　　　　～を基礎とした　　　自給自足的な経済
economy got into financial trouble. ③ In the meantime,
財政難
Tokugawa Yoshimune became the 8th shogun in 1716.
徳川吉宗
④ *Yoshimune* stopped the government by associates of
やめた　　　　側近政治
shogun. ⑤ He took the lead in political reform. ⑥ This
先頭に立って～する　政治改革
political reform lasted about 30 years and is called the

reform of *Kyoho*.
享保の改革
⑦ The largest task in this reform was setting the
～の最大の課題　　　　　　　　　　　　立て直す
shogunate's finances in order. ⑧ *Yoshimune* himself led

a simple life and became a model for samurai. ⑨ He
質素な生活をした　　　～の範となる
made *Daimyo* give up a certain amount of rice instead
大名　　　献上する　一定量の～
of a reduction of the burden of *Sankin-kotai*. ⑩ This
軽減　　　　　　　　　　　　　参勤交代
system is called *Agemai-no-sei*.
上げ米の制
⑪ *Yoshimune* carried out the town government as well.
町政

⑫ He installed the complaint box, *Meyasu-bako*, to
　　設置した　　　　　　　　　　　　　　　　目安箱

reflect the opinion of people in the government. ⑬ He
反映させる　庶民の意見

enacted the criminal law, *Kujikata-osadamegaki*, for
制定した　　　　　　　　　　公事方御定書

trials and punishments.
裁判　　　刑罰

---

55. 享保の改革

①元禄時代には、商品の流通が活発になり、貨幣経済が発達してきました。②このため、従来の自給自足的な経済の上に立つ幕府や藩は財政難に陥りました。③こうしたなか、1716年、第8代将軍となったのが**徳川吉宗**です。

④吉宗は、側近に政治を任せませんでした。⑤自らが先頭に立って政治改革を推し進めていきました。⑥およそ30年にわたるこの政治改革を**享保の改革**といいます。

⑦改革の中心は幕府財政の立て直しでした。⑧将軍自ら質素倹約を実行して、武士に模範を示しました。⑨大名に対しては**参勤交代**を緩めるかわりに、一定量の米を献上させました。⑩これを**上げ米の制**といいます。

⑪吉宗は町政にも努力しました。⑫まず、**目安箱**を設けて庶民の意見を政治に反映させようとしました。⑬さらに、裁判や刑の基準となる**公事方御定書**を定めました。

56. The Government by Tanuma Okitsugu

① In the 10th shogun, *Tokugawa Ieharu* era, *Roju*
(senior councilor) *Tanuma Okitsugu* was at the helm
of the shogunate.

② The task in *Okitsugu*'s reform was rebuilding the
shogunate finances. ③ He tried to rebuild them by
increasing the private sectors' economic power.
④ First, he authorized the Licensed Commercial
Association and imposed a tax on them. ⑤ Second, he
tried to develop new fields by draining. ⑥ Third, he
developed *Ezo-chi* to trade with Russia and eased trade
restriction in *Nagasaki* to give an impulse to trade.
⑦ This reform was novel but great merchants came to
have cozy relations with shogunate officials, and
bribery prevailed. ⑧ It caused political confusion. ⑨ On
the other hand, in 1783, Mt. *Asama* erupted and it was
part of the reason for the *Temmei* famine. ⑩ This

resulted in *Hyakusho-ikki* (peasant riot) in rural areas
その結果～が起こった　百姓一揆　　　　　　　　　　　　　農村部

and *Uchikowashi* (urban riot) in urban areas. [11] The
　　打ちこわし　　　　　　　　　　　都市部

shogunate and *Han* couldn't take effective action
　　　　　　　　　　　　　　　　　～に有効な対策を打ち出す

against them. [12] Therefore, strong criticisms were made
                                                激しい批判

against *Okitsugu* and he fell from power in 1786.
　　　　　　　　　　　失脚した

56. 田沼意次の政治

[1]第10代将軍徳川家治の時代になると、老中**田沼意次**が幕府の実権を握りました。

[2]意次の改革が目指したのは、幕府の財政を再建することでした。[3]意次は、民間の経済力を伸ばしていくことによって、幕府の財政を再建しようとしました。

[4]意次は**株仲間**を公認し、税を納めさせました。[5]また、干拓によって新田開発を進めようとしました。[6]さらに、蝦夷地（北海道）を開拓してロシアと交易しようとしたり、長崎貿易の制約を緩和して、貿易を盛んにしようとしました。

[7]こうした意次の改革は、斬新なものでしたが、幕府の役人と大商人との癒着を生み、**わいろ**が広まりました。[8]やがて、政治が混乱するようになりました。[9]また、1783年に浅間山で大噴火が起こり、天明のききんの一因となりました。[10]この結果、農村では百姓一揆が、都市では打ちこわしが起こるようになりました。[11]幕府や藩では、こうした情勢に対して有効な対策を打ち出すことができませんでした。[12]このため、意次に対する批判は激しくなり、1786年、意次は失脚しました。

57. The Reform of Kansei

[1] *Tokugawa Ienari* became the 11th shogun in 1787,
徳川家斉

and *Matsudaira Sadanobu* became the *Roju* and carried
松平定信　　　　　　　　　　　　　　　　　　老中

out the shogunate government. [2] He carried out political
政治改革

reform. [3] This reform is called the reform of *Kansei*.
寛政の改革

[4] *Sadanobu* wanted to end the political turmoil and set
政治的混乱　　　　　　　　　～を建て直した

shogunate finances in order. [5] He also tried to tone down

the giddy mood of samurai and the common people.
浮ついた気持ちを引き締める

[6] *Sadanobu* forbade peasants from working away from
禁止した　　　　　　　　　　出稼ぎに出ること

home to restore desert farm villages. [7] He forced
復興する　荒廃した　農村

Hatamoto (direct retainers of the shogun) and *Gokenin*
旗本　　　　　　　　　　　　　　　　　　　御家人

(shogun's followers) to lead a frugal life. [8] He also
質素な暮らし

made *Daimyo* save a certain amount of rice, and made
蓄える

peasants build storehouses to save rice in preparation
倉　　　　　　　　　　　　～に備えて

for famine. [9] This is called *Kakoi-mai*.
囲米

[10] Learning except *Shushi-gaku* (the teaching of Chu
学問　　　　　　　　朱子学　　　　　　　　　　　朱子

Hsi) was banned. [11] This is called *Kansei-igaku-no-kin*.
寛政異学の禁

⑫The shogunate screened books to check criticisms
　　　　　　　　検定した　　　　　　　　　　　批判
and caricatures against the shogunate, and came down
　　　風刺　　　　　　　　　　　　　　　　　　　　　　　　　　　　　～を厳しく取り締まった
hard on public morals.
　　　　風俗
⑬*Sadanobu*'s reform was strict and faced opposition
　　　　　　　　　　　　　　　　　　　厳しい　　　　　　　　　　～からの反発にあった
from the people, so he fell from power in six years.
　　　　　　　　　　　失脚した

---

57. 寛政の改革

①1787年、第11代将軍に徳川家斉がついたときに老中となり、幕府の政治を動かしたのが**松平定信**です。②定信は政治改革を推進しました。③定信による幕府政治の改革を**寛政の改革**といいます。

④定信は混乱した政治を改め、財政を立て直すことを目指しました。⑤さらにゆるんだ武士や民衆の気風を引き締めようとしました。

⑥定信は、荒廃した農村を復興させるため、農民が出稼ぎに出ることを禁止しました。⑦一方、旗本や御家人に対しては、倹約を求めました。⑧また、ききんに備えるため、大名に対して一定量の米を蓄えさせ、農村には倉を建てさせて米を保存させようとしました。⑨これを**囲米**といいます。

⑩学問の面では、朱子学以外の学問を禁止しました。⑪これを**寛政異学の禁**といいます。⑫出版を統制し、幕府に対する批判や風刺を抑え、風俗の取り締まりを厳しくしました。

⑬こうした定信の改革は厳しいものであったため、民衆の反発を招いて6年で失脚しました。

58. The Change in Farm Villages, Ikki and Uchikowashi

[1] The commodity economy spread to farm villages, so
商品経済 〜に広まった 農村

a lot of peasants grew and sold commercial crops.
栽培した 商品作物

[2] Hence, in farm villages, a self-supporting economy
自給自足経済

changed to a money economy. [3] Some peasants became
貨幣経済 裕福になった

rich and became *Jinushi* (land owner). [4] People who
地主

gave up their land and became peasants increased.
土地を手放した 小作人

[5] After the reform of *Kyoho*, the shogunate and *Han*
享保の改革 幕府

collected tributes more strictly to get over their
取り立てた 年貢 いっそう厳しく 乗り越える

financial troubles. [6] Therefore, many peasants worked
財政難

away from home in cities and desert farmland
都市に出稼ぎに出た 荒れた 農地

increased. [7] Famines frequently occurred. [8] There
ききん

were three big famines in the *Edo* period: the *Kyoho*
江戸時代 享保のききん

famine in 1732, the *Temmei* famine from 1782 to 1787
天明のききん

and the *Tempo* famine from 1833 to 1836.
天保のききん

[9] Peasants required *Ryoshu* (lord of the manor) to
要求した 領主 領地

reduce their tributes. [10] They bore arms and rose in an
引き下げる 武装した 一揆を起こした

Ikki when *Ryoshu* refused their demands. ⑪This is
　　　　　　　　　　　　拒否した　　　　要求
called *Hyakusho-ikki* (peasant riot). ⑫In cities, goods
　　　　百姓一揆　　　　　　　　　　　　　　　　商品
became in short supply and the price for rice rose
　　　　不足した　　　　　　　　　　米価　　　　　　　高騰した
sharply. ⑬Therefore, poor people attacked merchants.
襲った
　　　　　　　　　　　　　　　　　　　　　襲った
⑭This is called *Uchikowashi* (urban riot).
　　　　　　　　　打ちこわし

58. 農村の変化と一揆・打ちこわし

①農村では、商品経済が広まったため、商品作物を栽培して販
売しようとする農家が多くなりました。②こうして、農村の経
済は、自給自足経済から**貨幣経済**へと変化しました。③このよ
うななか、裕福になった農民が現れ、地主になる者もいました。
④その一方で、土地を手放して小作人となる者が増加しました。
⑤_{きょうほう}享保の改革以降、幕府や藩は財政難を解消するため、年貢の
取り立てをいっそう厳しくしました。⑥このため、農民が都市
に出稼ぎに出るようになり、荒れたままの耕地が増えました。
⑦また、ききんがたびたび起こりました。⑧1732 年の**享保のき
きん**、1782 年から 87 年にかけての**天明のききん**、1833 年から
36 年にかけての**天保のききん**は江戸時代の三大ききんといわ
れています。
⑨農民たちは、年貢の引き下げを求めて領主に訴えました。⑩受
け入れられない場合は武装して一揆を起こしました。⑪これを
百姓一揆といいます。⑫また、都市では商品が不足したり、米
価が高騰しました。⑬そのため貧しい人々が中心となって商人
を襲いました。⑭これを**打ちこわし**といいます。

59. The Access of Foreign Ships

①During Japan's national seclusion, there were many
　　　　　　　　　　　　鎖国
changes in the world. ②In Britain and France, the

absolute monarchies were defeated by the people's
絶対王政　　　　　　　倒された　　　　　　　　市民革命
revolutions and modern societies were born. ③The
　　　　　　　　　近代社会
ships of Russia, the U.S. and Britain appeared in seas
　　　　　　　　　　　　　　　　　　　　　　　　　日本近海に
close to Japan.

④In 1792, Russia's ambassador, Laksman, dropped into
　　　　　　　　　使節　　　　　ラクスマン　～に来航した
Nemuro and required Japan to open trade. ⑤The
根室　　　　　要求した　　　　　通商をする
shogunate refused his request and kept a close watch
　　　　　　　拒否した　　　　　　　　　　～の警備を厳重に行なった
on northern Japan.

⑥In 1808, the British warship, the Phaeton, arrived in
　　　　　　　　　　　　軍艦　　　フェートン号
Nagasaki. ⑦After that, ships of Britain and the U.S.

appeared one after another.
　　　　　　続々と
⑧In 1825, the shogunate enacted the decree for
　　　　　　　　　　　　　　　　制定した　　異国船打払令
expelling foreign ships to fight off foreign ships.
　　　　　　　　　　　　　　　　撃退する
⑨*Watanabe Kazan*, *Takano Choei* and others criticized
渡辺崋山　　　　　　　高野長英　　　　　　　　　　批判した

132

the shogunate's seclusion policy <u>as going against the
tide of the times.</u> ⑩ The shogunate <u>punished</u> them. ⑪ This
incident is called *Bansha-no-goku*.

時代の潮流に逆らうものとして

処罰した

蛮社の獄

---

59. 外国船の接近

①日本が鎖国を続けている間に、世界の情勢は大きく変化して
いきました。②イギリスやフランスでは、市民革命によって**絶
対王政**が倒れ、近代社会が開かれました。③やがてロシアやア
メリカ、イギリスなどの船が日本の沿岸に現れるようになりま
した。

④1792 年、ロシアの使節**ラクスマン**が北海道の**根室**に来航し、
日本との通商を求めました。⑤幕府はロシアの通商要求を拒否
するとともに、日本の北方の警備を厳重に行なうようになりま
した。

⑥1808 年には、イギリスの軍艦フェートン号が長崎に入港し
ました(**フェートン号事件**)。⑦この後も、イギリス船やアメリ
カ船が日本近海に続々と現れました。

⑧1825 年幕府は**異国船打払令**を出し、外国船の撃退を命じま
した。⑨渡辺崋山や高野長英らは、幕府の鎖国政策を世界の潮
流に沿わないものとして批判しました。⑩それゆえ、幕府は彼
らを処罰しました。⑪これを**蛮社の獄**といいます。

60. Kasei Culture

① In the 11th shogun *Tokugawa Ienari*'s era, the center
徳川家斉 〜の中心
of culture moved from *Kamigata* (*Kyoto* and *Osaka*) to

Edo, which achieved remarkable economic development.
江戸 達成した 著しい 経済発展
② The mass culture ripened and became diverse. ③ This
大衆文化 熟した 多様化した
is called *Kasei* culture.
化政文化
④ People became familiar with literature in this period.
〜に親しむようになった
⑤ *Jippensha Ikku*'s comedy, *Up the Eastern Sea Circuit*
十返舎一九 滑稽本 『東海道中膝栗毛』→膝を馬代わりに使って
on Shank's Mare, was popular. ⑥ *Takizawa Bakin*'s
徒歩で旅する東海道周遊記 滝沢馬琴
The Biographies of Eight Dogs was widely read. ⑦ As
『南総里見八犬伝』 広く読まれた
for *Haikai* (haiku poem), *Yosa Buson* and *Kobayashi*
俳諧 与謝蕪村 小林一茶
Issa were popular among people. ⑧ *Kyoka* (satirical
狂歌 風刺的な
tanka poem) and *Senryu* (humorous poem) spread
川柳 広まった
among people.

⑨ Ukiyoe was mainly painted. ⑩ *Suzuki Harunobu*'s
浮世絵 鈴木春信
multicolored prints called *Nishiki-e* were very popular
多色刷りの 版画 錦絵
and ukiyoe was at its best. ⑪ There was *Kitagawa*
全盛期の 喜多川歌麿

134

Utamaro's portrait, *Bijin-ga*. [12] *Katsushika Hokusai*'s
　　　　　　　　美人画　　　　　　葛飾北斎

the Thirty-six views of Mt. *Fuji* and *Utagawa*
富嶽三十六景　　　　　　　　　　　　　　　　歌川広重

Hiroshige's the Fifty-three Stages on the *Tokai-do* road
　　　　　　　　　　　　東海道五十三次

were famous landscape paintings. [13] In *Yakusha-e*
　　　　　　　　　　　　　　　　　　　　　　役者絵

(portrait of actors), *Toshusai Sharaku* was popular.
　　　　　　　　　　東洲斎写楽

60. 化政文化

[1]第11代将軍徳川家斉の時代になると、文化の中心は京都・大坂の上方から経済発展の著しい江戸に移りました。[2]町人文化はいっそう成熟するとともに多様化しました。[3]この文化を**化政文化**といいます。

[4]文学は、広く民衆のものとなりました。[5]小説では、**十返舎一九**の『**東海道中膝栗毛**』が滑稽本として人気がありました。[6]**滝沢馬琴**の『**南総里見八犬伝**』も多くの人々に読まれました。[7]俳諧では、**与謝蕪村**や**小林一茶**が民衆の間で親しまれました。[8]また、**狂歌**や**川柳**が広く民衆の間に広まりました。

[9]絵画では、**浮世絵**が中心でした。[10]**鈴木春信**の多色刷りの版画は**錦絵**と呼ばれてもっとも人気があり、浮世絵は全盛期を迎えました。[11]美人画では**喜多川歌麿**の肖像画があります。[12]風景画では『**富嶽三十六景**』を描いた**葛飾北斎**や、『**東海道五十三次**』を描いた**歌川広重**が有名です。[13]役者絵では**東洲斎写楽**が人気がありました。

61. The Reform of Tempo

①In the 1830s, the *Tempo* famine occurred and many
　1830年代に　　天保のききん

people died from starvation. ② *Hyakusho-ikki* and
　　　　餓死した　　　　　　　　　　　　百姓一揆

Uchikowashi broke out all over the country. ③ On the
打ちこわし　　起こった

other hand, ships of Russia, Britain and the U.S. came

close to Japan and required Japan to open the country.
接近した　　　　　　　要求した　　　　　　　開国するよう

④ *Roju, Mizuno Tadakuni*, carried out political reform
老中　水野忠邦　　　　　　　　　　　　　政治改革

under these circumstances. ⑤ This is called the reform
このような情勢の中で　　　　　　　　　　　　天保の改革

of *Tempo*.

⑥ First, *Tadakuni* enacted the Thrift Ordinance to stop
　　　　　　　　　制定した　倹約令

the luxury life led by samurai and common people.
　　ぜいたくな生活　～による

⑦ Second, he enacted the decree, *Hitogaeshi-no-ho*, to
　　　　　　　　　　　　法令　　人返しの法

rebuild the devastated farmland and forced peasants in
再建する　　荒廃した　　　　　　　　　　　～させる

Edo to return home. ⑧ Last, he enacted the decree,

Jochi-rei, to take up the territories of *Daimyo* and
上知令　　取り上げる　　領地　　　大名

Hatamoto (the direct retainers of shogun) around
旗本

Osaka and *Edo*, and to get over the financial troubles.
　　　　　　　　　　　　　乗り越える　　財政難

⑨This law didn't succeed due to opposition by *Daimyo*
　　　　成功する　　　　～のために　反対
and *Hatamoto*. ⑩*Tadakuni* fell from power and failed
　　　　　　　　　　　失脚した　　　　　　～に失敗した
in the reform.

61. 天保の改革

①1830年代になると、天保の大ききんに見舞われ、餓死するものが続出しました。②そのため、百姓一揆や打ちこわしが各地で起こりました。③さらに、日本の近海には、ロシアやイギリス、アメリカなどの船が接近し、日本に開国を迫ってきていました。④こうした情勢の中で、政治改革を行なったのが老中水野忠邦です。⑤忠邦の改革を天保の改革といいます。
⑥忠邦は倹約令を出し、ぜいたくになってきた武士や庶民の生活を引き締めました。⑦ついで、荒廃した農村を再建するために人返しの法を出し、江戸に出稼ぎにきていた農民を帰郷させました。⑧さらに上知（上地）令を出し、江戸や大坂の周辺にある大名や旗本の領地を幕府の直轄領として、財政難を切り抜けようとしました。⑨しかしこれは大名や旗本の反対にあって成功しませんでした。⑩忠邦は失脚し、改革は失敗に終わりました。

Column

Horse
馬

Too Sophisticated?
カッコよすぎ？

A samurai in full armor rides a horse and fights in the battlefield. This is a scene everybody, not only movie fans and historical film fans, has seen. Oh, no, there is something wrong with this scene. What's wrong? The horse is! It is too big.

In the Japanese Islands, there were wild horses about 20 thousand years ago. But their height was about 1.2 meters, just like the donkeys we know today, and they were not good for riding.

The custom of horse riding might have spread in the 5th century. Some ancient clay figures placed on *Ko-fun* at that time were horse-shaped and some funerary goods were harnesses.

The reason why the custom of horse riding spread in this period was that horses from the northern part of the Chinese continent were introduced to Japan at that time. Those horses were about 1.4 meters high and good for riding. On the other hand, Japanese horses grew very little in size for a long time.

So, we feel there is something wrong with the scene that feudal warlords are riding thoroughbred or Arab horses whose height is no less than 1.6 meters.

　よろい・かぶとを身につけた武士が馬にまたがり、戦場を駆けめぐる。映画ファン・時代劇ファンのみならず、誰もが見たことのあるシーン。いや、ちょっと違うぞ！　何が違うって？ウマです。ウマが大きすぎるのです。

　日本列島にも、野生のウマはいました。2万年前のことですが、大きさ（体高）はロバぐらいで、そう1.2mぐらい。あまり乗馬に適しているとはいえません。

　5世紀になって乗馬の風習が広がったようで、古墳の上に並べてあるはにわにウマの形をしたものが出現したり、副葬品に馬具が納められたりしました。

　5世紀に乗馬が広まったのは、中国大陸の北方のウマが伝えられ、乗用にたえるウマになったからです。このころのウマ、大きさは1.4mぐらい。このあと、日本のウマはごくわずかずつしか大型化しませんでした。

　だから、戦国時代の武将が、1.6mもあろうかというサラブレッドやアラブ馬に乗っているのはどこか違うぞ、と言いたくなるのです。

Chapter 4

Modern Times

Japan in the International Community

《第4章》

近代

国際社会の中の日本

62. The Perry's Arrival

① The U.S. planned to open Japan to use it as a stopping
point for whaling ships and trading ships to China.
② Commodore Perry dropped into *Uraga* in 1853. ③ The
people in Japan were surprised at and afraid of the
ships and called them *Kuro-Fune*(black ships).

④ Perry handed the shogunate a message from the
President of the U.S. ⑤ The shogunate reported it to the
Court and asked for the opinions of *Daimyo*.

⑥ Perry came to *Edo* bay again the following year. ⑦ The
shogunate didn't want to make war against the U.S.
because it knew the result of the Opium War. ⑧ So it
made a treaty with the U.S. ⑨ This treaty is called
Treaty of Peace and Amity between the U.S. and the
Empire of Japan. ⑩ It made Japan open *Shimoda* port
and *Hakodate* port and accept the requirement to
supply food, water and coal to the ships of the U.S.

^⑪In 1858, *Tairo, Ii Naosuke*, made the Harris Treaty
　　　大老　　井伊直弼　　　　　　　　　　　　日米修好通商条約
with the U.S. and promised to open five ports. ^⑫This
　　　　　　　　　　　約束した
was an unequal treaty, which conceded exterritoriality
　　不平等条約　　　　　　　　　認める　　治外法権
and had no customs autonomy of Japan.
　　　　　　関税自主権

62. ペリー来航

^①アメリカは、捕鯨船や中国との貿易船の中継地として日本を開国させようと計画しました。^②1853年、**ペリー**が浦賀（神奈川県）に入港しました。^③人々は、これを「**黒船**」と呼んで、驚き、また恐れました。

^④ペリーは、大統領の国書を幕府に差し出しました。^⑤幕府は、これを朝廷に報告するとともに、諸大名の意見を求めました。

^⑥ペリーは、翌年、ふたたび来航し、江戸湾に侵入しました。^⑦幕府は、**アヘン戦争**のような事態になることをおそれ、戦争を望みませんでした。^⑧そしてアメリカと条約を結びました。

^⑨これを**日米和親条約**といいます。^⑩下田（静岡県）と箱館（北海道）の２港を開き、アメリカ船に食料、水、石炭を供給することを認めました。

^⑪1858年、大老井伊直弼は**日米修好通商条約**を結び、5港を開く約束をしました。^⑫この条約は**領事裁判権（治外法権）**を認め、**関税自主権**をもたない不平等条約でした。

①Trade with foreign countries <u>invited</u> <u>a price rise</u> and
　　　　　　　　　　　　　　　　招いた　　物価上昇

people <u>lived a hard life</u>. ②Hence, the <u>antiforeigner</u>
　　　　苦しい生活を送った　　　　　　　　　　　攘夷運動

<u>movement</u> began. ③They <u>opposed</u> <u>opening the country</u>
　　　　　　　　　　　　　　　　～に反対した　開国

and <u>insisted</u> that Japan <u>beat off</u> foreigners <u>by military</u>
　　　主張した　　　　　　　追い払う　　　　　　武力で

<u>means</u>.　　④It gradually became <u>the imperialist's</u>
　　　　　　　　　　　　　　　　　　　尊王攘夷運動

<u>antiforeigner movement</u>. ⑤<u>Ii Naosuke</u> <u>clamped down</u>
　　　　　　　　　　　　　　　　　井伊直弼　　～を弾圧した

<u>on</u> this movement and <u>was assassinated</u> <u>in front of</u>
　　　　　　　　　　　　　　暗殺された　　　　～の前で

<u>Sakurada-mon</u> (one of the gates in <u>Edo-jo</u> castle).
桜田門

⑥<u>Roju, Ando Nobumasa</u>, carried out the government
　老中　　安藤信正

after <u>Naosuke</u>. ⑦He wanted to <u>unite</u> the Court with the
　　　　　　　　　　　　　　　　合体させる

shogunate (<u>Ko-bu</u> gattai) to <u>check</u> the movement.
　　　　　　公武合体　　　　　～をおさえる

⑧<u>Choshu-han</u> held the imperialist's antiforeigner
　長州藩　　　　行なった

movement and <u>fired a gun at</u> foreign ships in 1863, but
　　　　　　　　～に発砲した

it <u>was attacked in retaliation</u> by <u>the combined fleet</u>.
　　報復攻撃を受けた　　　　　　　連合艦隊

⑨<u>Choshu-han</u> <u>got thrown out of</u> <u>Kyoto</u> by <u>Satsuma-</u>
　　　　　　　　～から追放された　　　　　　　薩摩藩

<u>han</u> and <u>Aizu-han</u> which supported the Unification of
　　　　　会津藩

the Court and the shogunate. ⑩In 1864, the shogunate
幕府
attacked *Choshu-han* and it gave in.
降伏した

⑪In 1862, a British man was killed by *Satsuma-han*
(*Namamugi-jiken*). ⑫British warships came to make a
報復しに来た
counttercharge the following year (*Satsu-Ei-sensou*).

---

63. 公武合体と尊王攘夷

①外国と貿易が始まると物価は上昇し、国民の生活が苦しくなりました。②このため、**攘夷運動**が起こりました。③攘夷を支持する人々は、開国に反対し、武力で外敵を打ち払えと主張しました。④それはやがて、**尊王攘夷運動**へと発展しました。⑤**井伊直弼**はこの運動を弾圧しましたが、江戸城桜田門外で暗殺されました（**桜田門外の変**）。

⑥直弼のあと幕政をとったのは老中安藤信正でした。⑦信正は尊王攘夷運動をおさえようと**公武合体**を進めました。

⑧**長州藩**では尊王攘夷運動が活発で、1863年、外国船に発砲しましたが、連合艦隊に報復攻撃を受けました。⑨さらに、公武合体派の薩摩藩・会津藩（福島県）により、尊王攘夷派の長州藩は京都から追放されました（**八月十八日の政変**）。⑩1864年、幕府は長州藩を攻撃し、長州藩は降伏しました。

⑪一方、**薩摩藩**では1862年、イギリス人を殺傷しました（**生麦事件**）。⑫翌年イギリスの報復を受けました（**薩英戦争**）。

64. The Satsu-Cho Alliance and the To-baku Movement

① *Takasugi Shinsaku* and others seized the initiative in
高杉晋作 握った 主導権

the *Choshu-han*. ② They thought that they should defeat
長州藩 倒す

the shogunate and establish a strong unified country
幕府 統一国家

which could stand against foreign countries.
〜に反抗する

③ *Satsuma-han* led by *Okubo Toshimichi* and *Saigo*
薩摩藩 率いられた 大久保利通 西郷隆盛

Takamori strengthened its power with the help of
力を強めた 〜の助けを借りて

Britain. ④ *Satsuma-han* and *Choshu-han* were in

conflict with each other but *Sakamoto Ryoma*
対立していた 互いに 坂本龍馬

persuaded them to come together to overthrow the
説得した 協力する 幕府を倒す

shogunate. ⑤ Hence, *Satsu-Cho* alliance was formed.
薩長同盟

⑥ The shogunate made *Choshu-han* give in in 1864 and
屈服する

ordered it to scale back its territory. ⑦ Nevertheless,
領地を削減する

Choshu-han disobeyed the order. ⑧ The shogunate went
従わなかった

on an expedition to *Choshu* with some other *Han* but
〜の征伐をする

got defeated. ⑨ The loss of the expedition to *Choshu*
敗れた 失敗

exposed the diminishing authority of the shogunate.
さらけ出した 衰えていく権威

144

^⑩The economic disorders and the political uncertainty
経済の混乱　　　　　　　　　　政情不安

led to social unrest and the people looked forward to
社会不安　　　　　　　　　　　　　　　　　～を期待した

social reform. ^⑪In 1867, the people made a fuss,
世直し　　　　　　　　　　　　　　　　　　　騒ぎを起こした

dancing madly and shouting "*Eejanaika*."
ええじゃないか

---

64. 薩長同盟と討幕運動

^①長州藩では、**高杉晋作**らが藩の主導権を握りました。^②彼らは幕府を倒して強い統一国家をつくり、外国と対抗できる強い国にする必要があると考えました。^③薩摩藩も、**大久保利通**や**西郷隆盛**らが中心となって、イギリスの援助を受けて藩の力を強めていきました。^④薩長両藩は対立していましたが、**坂本龍馬**は、両藩が協力して倒幕を目指すよう説得しました。^⑤これにより**薩長同盟**が成立しました。

^⑥幕府は1864年に長州藩を屈服させ、領地の削減を命じていました。^⑦しかし、長州藩は幕府の命令に従いませんでした。^⑧そのため、幕府は諸藩に命じて長州征伐を行ないましたが、敗北に終わりました。^⑨長州征伐の失敗は、幕府の権威が衰えてきたことを示す結果となりました。

^⑩経済が混乱してくると、政情不安もあって社会不安が増大し、**世直し**を期待する声が大きくなりました。^⑪1867年には「**ええじゃないか**」と叫び、乱舞する騒ぎが起こりました。

① *Tokugawa Yoshinobu* became the 15th shogun in
徳川慶喜

1866 but the ex-head of *Tosa-han*, *Yamanouchi*
前藩主　　　　　土佐藩　　　山内豊信

Toyoshige, found that *Satsuma-han* and *Choshu-han*
わかった　　　　薩摩藩　　　　長州藩

planned to overthrow the shogunate by military means
〜を計画した　　　　　　　　　　　　　武力で

and advised *Yoshinobu* to return the administration to
　　　　　　　　　　　　　〜に返上する　政権

the Court. ② *Yoshinobu* followed his advice on October
朝廷　　　　　　　　　　　　従った　　　　　1867年10月14日

14, 1867. ③ This is called *Taisei-hokan*.
　　　　　　　　　　　　　　大政奉還

④ *Saigo Takamori* and *Okubo Toshimichi* of *Satsuma-*
西郷隆盛　　　　　　　大久保利通

han and a *Kuge*, *Iwakura Tomomi*, worked on the
　　　　公家　　岩倉具視　　　　〜に…するように働きかけた

Court to overthrow the shogunate. ⑤ On December 9,
　　　　　　　　　　　　　　　　　　　　　1867年12月9日

1867, the Court enacted the decree, *Osei-fukko-no-dai-*
　　　　　　　制定した　　　　　　　　　　王政復古の大号令

gorei, to express that it would put an end to the
　　　　　　　　　　　　　　　　　〜を廃止する

shogunate and carry out a government with the
　　　　　　　　　　政治を行なう　　　　　　天皇中心の

Emperor at its center. ⑥ In this way, the *Edo* shogunate
　　　　　　　　　　　　　　　　　　　　江戸幕府

was ruined.
滅亡した

⑦ The new government took a hard line on the *Tokugawa*
　　　　　　　　　　　〜に強硬路線をとる　　　徳川家

family and demanded the return of their territory. ^⑧ The
　　　　要求した　　　　　　　返上　　　　　領地　　　　　新政府軍

new government army forced them to give up *Edo-jo*
　　　　　　　　　　　　　　　　　明けわたす　江戸城

castle without a blow.
　　　　戦わずして

^⑨ In the following year, it brought the ex-shogunate
　　　　　　　　　　　　　　　　　　　　～を降伏させた

army to terms at the castle, *Goryokaku*, in *Hakodate*.
　　　　　　　　　　　　　　　五稜郭　　　　　箱館

^⑩ This civil war is called the *Boshin* war.
　　　内乱　　　　　　　　　　　戊辰戦争

65. 大政奉還と王政復古

^① 1866年、徳川慶喜が第15代将軍となりましたが、前土佐藩
主の山内豊信（容堂）は、薩摩・長州の両藩が武力による倒幕
の計画を進めていることを知り、慶喜に政権を朝廷に返すよう
進言しました。^②慶喜はこれに従い、1867年10月14日、政権
を朝廷に返上しました。^③これを**大政奉還**といいます。
^④薩摩藩の**西郷隆盛**や**大久保利通**、公家の**岩倉具視**らは倒幕を
朝廷に働きかけました。^⑤同年12月9日、朝廷は**王政復古の大
号令**を発し、幕府を廃止して天皇中心の政治を行なうことを明
らかにしました。^⑥こうして江戸幕府は滅亡しました。
^⑦新政府は、徳川氏に領地の返上を要求するなど厳しい姿勢で
臨みました。^⑧新政府軍は江戸城を戦わずして明けわたさせま
した。^⑨翌年には、箱館の**五稜郭**で旧幕府軍を降伏させました。
^⑩この内乱を**戊辰戦争**といいます。

66. The Boshin War (戊辰戦争)

I'll return the administration to the Court.
私は政権を朝廷に返すことにした。

徳川慶喜は大政奉還を行ないました。

Return your territories! Decline your official rank!
領地を返せ！
官位を辞退しろ！

王政復古の大号令

慶喜への方針が示されました。

1868年1月

It's the beginning of the *Boshin* war.
戊辰戦争が始まったぞ。

この方針に旧幕府軍は反発し、鳥羽・伏見（京都）で新政府軍と戦いました。

Let's go back to *Edo*.
江戸に戻ろう。

しかし、旧幕府軍は敗れ、江戸に戻りました。

Let's capture the *Edo-jo* castle!
江戸城を攻め落とすぞ！

新政府軍は江戸を目指して進撃しました。

幕臣の勝海舟は新政府軍の西郷隆盛と会談し、江戸は戦わずして新政府軍に明けわたされました。

抵抗する東北の諸藩を新政府軍は次々と降伏させました。

幕臣榎本武揚と旧幕府の海軍は箱館に立てこもりました。

新政府軍は五稜郭の戦いで榎本らを破りました。

戊辰戦争はようやく終わりました。

67. The Meiji Restoration

①In 1868, the *Meiji* government, which defeated the
明治政府　　　　　　　　　　　　　　　　　倒した

Edo shogunate, announced the Charter Oath of Five
江戸幕府　　　　　発表した　　五箇条の御誓文

Articles and revealed the new government's political
　　　　　明らかにした　　　　　　　　　　　政治方針

platform. ②*Edo* was renamed *Tokyo* and the new era
　　　　　　　　　　　　　　東京　　　　　　　元号

was named *Meiji*. ③The capital was moved from *Kyoto*
明治　　　首都　　　　　　　　京都

to *Tokyo*. ④The traditional policy was continued and
　　　　　従来の政策

Christianity and *Ikki* were banned under the rule of
キリスト教　　　一揆　　～によって禁止されて

the Five Public Notices.
五榜の掲示

⑤The new government carried out a centralized
　　　　　　　　　　　　　　　　　中央集権政治

government to realize the new political platform. ⑥It
　　　　　実現する

forced *Daimyo* to return their land and people to the
大名　　　～に返す　　土地と人民

Emperor (*Hanseki-hokan*) in 1869. ⑦Moreover, the new
天皇　　　版籍奉還

government put an end to *Han* and newly placed *Ken*
　　　　　～を廃止した　　藩　　　　　　　　　県

(prefecture), and appointed prefectural governor
　　　　　　　　任命した

(*Fu-chiji* and *Ken-rei*) in each *Ken* (*Hai-han-chi-ken*)
府知事　　　県令　　　　　　　　　　廃藩置県

in 1871.

⑧The new government abolished the class system of
　　　　　　　　　　　廃止した　　　　　　　身分制度
the *Edo* period, *Shi-no-ko-sho*, and ensured the
　　　　　　　　　　　士農工商　　　　　　　　保証した
equality of all people (*Shimin-byodo*). ⑨People who
平等　　　　　　　　　　四民平等
used to be the classes of *No* (peasant), *Ko* (craftsman)
かつて〜の階級であった
and *Sho* (merchant) were called *Hei-min* and were
　　　　　　　　　　　　　　　　　　平民
allowed to give themselves family names.
〜することを許された　　　〜を名乗る　　　苗字

---

67. 明治維新

①江戸幕府を倒した明治新政府は、1868 年、**五箇条の御誓文**を発表し、新政府の政治方針を明らかにしました。②江戸は**東京**と改称され、元号も新たに明治と定められました。③また、首都はそれまでの京都から東京へと移されました。④一方で**五榜の掲示**を出し、キリスト教や一揆を禁止するなど、従来の政策を続けようとしました。

⑤新政府は、政治方針を実現するために中央集権化を進めました。⑥まず、1869 年には**版籍奉還**を行ない、諸大名に土地と人民を天皇へ返させました。⑦1871 年には**廃藩置県**を行ない、藩を廃止して新たに県を置き、府知事・県令（後の知事）を任命しました。

⑧また新政府は、江戸時代の士農工商という身分制度を改め、**四民平等**を唱えました。⑨江戸時代に農工商の身分だった人々は平民と呼ばれるようになり、苗字を名乗ることが許されました。

68. Nation's Wealth and Military Strength

① The *Meiji* government thought Japan should build up
明治政府　　　　　　　　　　　　　　　　　　　　　　強める

national strength to stand against powerful foreign
国力　　　　　　　　～に対抗する

countries.　② The government carried out three
　　　　　　　　　　　　　　　　　　　　　　　　3つの改革

reforms: the educational system, the military system
　　　　　　学制　　　　　　　　　　　兵制

and the tax system.
　　　税制

③ The government tried to establish the educational

system for nation's wealth and military strength.　④ It
　　　　　富国強兵

issued the ordinance, *Gakusei*, in 1872.　⑤ It required all
公布した　　条例　　　学制　　　　　　　　　　　　　　～することを要求した

people six years of age and older to receive elementary
　　　　6歳以上の　　　　　　　　　　　　　　　　　　小学教育

education.

⑥ In 1873, the government enforced the Land Tax
　　　　　　　　　　　　　　　実施した　　地租改正

Reform to secure tax revenue.　⑦ It imposed a 3% tax on
　　　　　確保する　税収　　　　　　　　　　3%の税を課した

land price and forced the owners to pay cash.　⑧ Peasants
地価

suffered from this heavy land tax and rose in *Nomin-*
～に苦しんだ　　　重い地租　　　　　農民一揆を起こした

ikki all over the country.

⑨ The government launched the reform of the military
　　　　　　　　　　～に着手した

152

system. ⑩In 1873, the Conscription Ordinance was
徴兵令

enforced and obliged all males 20 years of age and
実施された　　　　　～することを義務づけた　男子

older to serve three years' conscription.
3年間兵役に就くこと

⑪The government developed modern industries and
近代工業

carried out the encouragement of new industry.
殖産興業

---

68. 富国強兵

①明治政府は強力な欧米の国々に対抗するために国力を強める べきと考えました。②そこで、学制、兵制、税制の3つの改革 を行ないました。

③まず政府は、**富国強兵**のために教育制度の充実をはかりまし た。④1872年には**学制**を公布しました。⑤学制により、6歳以上 のすべての男女が小学校教育を受けることになりました。

⑥また政府は、財政収入の安定をはかるため、1873年、**地租改 正**を実施しました。⑦その内容は、税率を地価の3%として所有 者に現金で納めさせるというものでした。⑧地租は農民にとっ て非常に重い負担であったため、各地で農民一揆が発生しまし た。

⑨政府は兵制にも着手しました。⑩1873年、**徴兵令**が公布され、 満20歳以上の男子に3年間の兵役が義務づけられました。

⑪政府は近代工業の育成にも力を入れ、**殖産興業**を進めました。

69. Civilization and Enlightenment

① Japan aggressively took in Western cultures as a
積極的に　　　取り入れた

result of the *Meiji* government's modernization policy.
〜の結果として　明治政府　　　　近代化政策

② European clothes, coats and hats became popular
流行するようになった

instead of traditional kimono. ③ People began to eat
〜のかわりに　　　　着物

meat. ④ They built brick buildings, rode on coaches
肉を食べる　　　　　レンガ造りの建物　　〜に乗った　馬車

and jinrikisha (human-powered cart), and installed
人力車　　　　　　　　　　　　　　　　　　　　設置した

street lamps in large cities. ⑤ A railroad was laid
街灯　　　　　　　　　　　　　　　　　鉄道　　　敷かれた

between *Tokyo* and *Yokohama* in 1872 and later

between *Kobe* and *Kyoto*. ⑥ The solar calendar started
太陽暦

being used in place of the lunar calendar in 1872.
太陰暦

⑦ Newspapers and magazines were put out in large
新聞　　　　　　雑誌　　　　発行された　　大量に

quantities because of letterpress printing and people
活版印刷

came to know the modern thought from Western
近代思想

countries. ⑧ It was *Fukuzawa Yukichi* and *Nakae*
福沢諭吉　　　　　　　　中江兆民

Chomin that popularized such thought. ⑨ *Yukichi*
広めた

wrote *Encouragement of Learning*. ⑩ *Chomin*
『学問のすゝめ』

translated and published *The Social Contract* by
翻訳した　　　　出版した　　　　　『社会契約論』

Rousseau and introduced European democracy.
ルソー　　　　　　　　　　　　　　民主主義

[11] The introduction of European institutions and cultures
　　　　　　　　　　　　　　　　制度　　　　　　　　文化

changed people's lifestyle. [12] This is called Civilization
　　　　　　　生活様式　　　　　　　　　　　　文明開化

and Enlightenment.

---

69. 文明開化

[1]明治政府が近代化を進めた結果、日本国内に欧米の文化が盛んに取り入れられるようになりました。

[2]それまでの着物にかわり、洋服やコート、帽子などが流行しました。[3]食生活では肉食が始まりました。[4]大都市ではレンガ造りの建物が建設され、馬車や人力車が走り、通りには街灯がつけられました。[5]1872年には東京・横浜間に鉄道が開通し、ついで神戸・京都間にも開通しました。[6]同年、太陰暦にかわり太陽暦（たいようれき）が採用されました。

[7]活版印刷（かっぱんいんさつ）による新聞や雑誌の発行も盛んになり、欧米から伝わった近代思想が人々の間に広まりました。[8]このような思想を広めた人物として有名なのが**福沢諭吉**（ふくざわゆきち）と**中江兆民**（なかえちょうみん）です。[9]福沢諭吉は『学問のすゝめ』を書きました。[10]中江兆民はルソーの『社会契約論』を翻訳（ほんやく）、出版し、ヨーロッパの民主主義を日本に紹介しました。

[11]このように欧米風の制度や文化が取り入れられたことにより、人々の生活様式が大きく変化しました。[12]これを**文明開化**といいます。

70. The Seikan-ron and the Seinan War

①One of the tasks of modern nations was drawing a
　　　　　　　課題　　　　　近代国家　　　　　　　国境を画定すること

border. ②The *Meiji* government made the Sakhalin-Kuril
　　　　　　　　明治政府

Island Exchange Treaty with Russia, which stated that
樺太・千島交換条約　　　　　　　　　　　　　　述べた

Sakhalin belonged to Russia and *Chishima* belonged to
樺太　　〜に属した　　　　　　　　　千島

Japan in 1875.

③In 1871, the *Meiji* government entered into Japan-
　　　　　　　　　　　　　　　　　〜を締結した

Qing Amity Treaty with Qing. ④This was the first equal
日清修好条規　　　　　　　清　　　　　　　　　　　平等な条約

treaty the *Meiji* government made. ⑤In the *Meiji*

government, *Saigo Takamori* wanted to open Korea by
　　　　　　　西郷隆盛

military means and to have an influence in Korea (*Sei-*
武力で　　　　　　　影響力を持つこと

kan-ron). ⑥Nevertheless, *Iwakura Tomomi* and *Okubo*
征韓論　　　　　　　　　　　岩倉具視　　　　　　大久保利通

Toshimichi insisted on prioritizing growth of national
　　　　　　〜を主張した　〜を優先させること

power instead. ⑦They defeated *Saigo Takamori* and he
そうではなくて　　〜を負かした

left the government. ⑧The government, however, took

advantage of the Kanghwa Island Incident to enter into
〜に乗じた　　　　江華島事件　　　　　　　　　〜を結ぶ

the Treaty of Kanghwa with Korea in 1875, and forced it
　　　日朝修好条規

to open the country.
開国する

⑨ *Shizoku* (former low-class samurai) rose in revolts all
士族　　　　　　　　　　　　　　　　　　　反乱を起こした

over the country. ⑩ Among them, the *Seinan* war
　　　　　　　　　　　　　　　　　　　　　　　西南戦争

started by *Saigo Takamori* was the largest revolt but
〜によって起こされた　　　　　　　　　　最も規模の大きな反乱

the government army suppressed it.
　　　　　　　　　　鎮圧した

---

70. 征韓論と西南戦争

①領土を決めることは近代国家としての課題の一つでした。
②1875年、政府はロシアと**樺太・千島交換条約**を結び、樺太はロシア領、千島列島は日本領と画定しました。
③1871年、明治政府は清(中国)と**日清修好条規**を締結しました。
④これは、明治新政府が結んだ初めての対等な条約でした。⑤政府内では、西郷隆盛らを中心に、朝鮮に対し武力で開国を迫り、日本の影響力を強めようとする**征韓論**が高まりました。⑥しかし、岩倉具視や大久保利通らは、そうではなく国力の充実を優先させるべきと主張しました。⑦征韓論争に敗れた西郷らは政府を去りました。⑧しかし政府は1875年、**江華島事件**をきっかけに**日朝修好条規**を締結し、朝鮮を開国させました。
⑨維新改革に不満を持つ士族たちは、各地で反乱を起こしました。⑩なかでも、西郷隆盛が起こした**西南戦争**は最も規模の大きな反乱でしたが、政府軍によって鎮圧されました。

71. The Movement for Democratic Rights

① After *Saigo Takamori* left, *Okubo Toshimichi* took a
西郷隆盛　　　　　大久保利通
leading part in the government. ② *Okubo Toshimichi*
～で先頭に立った
carried out the encouragement of new industry and
行なった　　　　殖産興業
was at the wheel of the country. ③ *Itagaki Taisuke*,
～の支配権を握った　　　　　　　　　板垣退助
who left the government with *Saigo Takamori*,

criticized the government for the tyranny by the people
～だと批判した　　　　　　　　～による専制政治
from *Satsuma-han* and *Choshu-han*. ④ He required to
薩摩藩　　　　　　長州藩　　　　　　　～を要求した
reflect the people's will on the government and brought in
～を…に反映させる 国民の意見　　　　　　　　　　　提出した
the report to ask for establishing the Diet elected by the
設立すること　国会　～に選ばれた
people in 1874. ⑤ This was the beginning of the Freedom
自由民権運動
and People's rights Movement.

⑥ The movement spread to all over the country. ⑦ In

1880, leaders of the movement established the
設立した
association, *Kokkai-kisei-domei*, in *Osaka* and required
同盟　　　　国会期成同盟
the government to set up the Diet.
開設する
⑧ In 1881, the government was going to dispose of its
～を払い下げる

facilities in *Hokkaido* to a familiar merchant, and the
施設   親しい商人

people of the movement for democratic rights

criticized the government strongly. [9] The government
批判した   強く

gave up the disposal. [10] It also issued the edict to set up
あきらめた   〜の布告を発した

the Diet in 1890.

---

71. 自由民権運動

[1]西郷隆盛らが政府を去った後、西郷に代わって政府の中心となったのが**大久保利通**です。[2]大久保利通は殖産興業を進めるとともに、国内の支配を強化しました。[3]西郷とともに政府を去った**板垣退助**は、政府を薩摩・長州など一部の藩の出身者による専制政治(**藩閥政治**)だと批判しました。[4]そこで、国民の意見を政治に反映させることを要求し、1874年に**民撰議院設立の建白書**を政府に提出しました。[5]これが**自由民権運動**の始まりです。

[6]自由民権運動は各地に広まりました。[7]1880年には全国の自由民権運動の代表者が大阪に集まり、**国会期成同盟**を設立し、政府に国会の開設を求めました。

[8]1881年、政府は北海道の施設を政府と結びつきの強い商人に払い下げようとし、民権運動派は政府を強く非難しました。[9]政府は、払い下げを中止しました。[10]また、国会開設の布告を発し、1890年に国会を開くことを約束しました。

72. The Constitution of the Empire of Japan and the Imperial Diet

① The *Meiji* government was getting ready to set up the
明治政府　　　　　　～の準備をしていた　　　　開設する 国会
Diet. ② The government wanted to establish the
制定する
Constitution before setting up the Diet. ③ It thought that
憲法
the Constitution which made much not of human rights
～を重視した　　　人権
but of the power of the Emperor was needed to carry
権限　　　　　　　　　　　　　　　　　　進める
out nation's wealth and military strength. ④ *Ito*
富国強兵
Hirobumi went to Europe and studied the Constitution
伊藤博文
of Germany and made out a draft Constitution. ⑤ The
ドイツ　　　　　作成した　　　憲法草案
Cabinet system was adopted and *Ito Hirobumi* became
内閣制度　　　　　　創設された
the first prime minister.
総理大臣
⑥ The Constitution of the Empire of Japan stipulated
大日本帝国憲法　　　　　　　　　　　規定した
that sovereignty rested with the Emperor and gave
主権　　　　　～にあった
strong power to him. ⑦ The imperial Diet had two-
帝国議会　　　　二院制
chamber system: *Shugi-in* and *Kizoku-in*. ⑧ The *Kizoku-*
衆議院　　　　貴族院
in consisted of the imperial family, *Kazoku*, those who
～からなっていた 皇族
were appointed by the Emperor and high-income
～によって任命された　　　　　　　　　　高額納税者

160

taxpayers. ⑨*Shugi-in* members were elected by the
~によって選ばれた

people. ⑩ Nevertheless, the number of people who were
~の数

eligible to vote was very small.
~をする資格があった　投票する　　　少ない

⑪ In this way, the public could take part in national
　　　　　　　国民　　　　　　~に参加する　　　国政

government though there were restrictions. ⑫ Japan
　　　　　　　　　　　　　　　　制限

became the first modern constitutional country in Asia.
　　　　　　　近代的な立憲制国家

72. 大日本帝国憲法と帝国議会

①明治政府は国会開設のための準備を進めました。②政府は、国会開設の前に憲法を制定しようとしました。③富国強兵を進めるために人権よりも天皇の権限を重視した憲法が必要だと考えました。④**伊藤博文**はヨーロッパへ留学して、ドイツ（プロイセン）の憲法を学び、憲法の草案を作成しました。⑤また、**内閣制度**が創設され、伊藤博文が初代**内閣総理大臣**に就任しました。⑥**大日本帝国憲法**は天皇を主権者とし、天皇に強い権限が与えられました。⑦**帝国議会**は、**衆議院**と**貴族院**からなる**二院制**でした。⑧貴族院議員は皇族や華族、天皇が任命した者、高額納税者などでした。⑨議員が選挙で選ばれたのは衆議院のみでした。⑩しかも衆議院議員の選挙権をもっていた人は、少数に限られていました。

⑪制限つきでしたが、国民が国政に参加する道が開かれました。
⑫日本はアジアで最初の近代的な立憲制国家となりました。

73. The Treaty Revision

① An important task of the *Meiji* government was
課題　　　　　明治政府
revising the unequal treaties which the *Edo* shogunate
改正すること 不平等条約　　　　　　　　江戸幕府
made with foreign countries.
〜と締結した
② Japan agreed on restoration of customs autonomy
回復　　　　　関税自主権
with the U.S. in 1878 but couldn't obtain any other
得る
countries' agreement. ③ Later, Japan took a
合意
Westernization policy and established the building,
欧化政策
Rokumei-kan, and held a ball to give foreign countries
鹿鳴館　　　　　　舞踏会を催した
the impression that Japan was a developed country.
印象　　　　　　　　　　　　先進国
④ In 1894, Britain agreed to negotiate with Japan to
交渉に応じた
counter the Russia's movement toward the south. ⑤ The
対抗する ロシアの南下
foreign minister, *Mutsu Munemitsu*, made Anglo-
外相　　　　　　陸奥宗光
Japanese Commercial and Navigation Treaty with
日英通商航海条約
Britain and succeeded in lifting exterritoriality and
撤廃　治外法権
restoring a part of customs autonomy. ⑥ Afterward, he
その後
could revise unequal treaties with other countries.

⑦In 1911, the complete revision of customs autonomy
was realized by the foreign minister, *Komura Jutaro*.
〜によって実現された   小村寿太郎

73. 条約改正

①江戸幕府が諸国と締結した不平等条約の改正は、政府にとって重要な課題でした。

②1878年にアメリカとの間で関税自主権の回復で合意しましたが、他の国々の合意は得られませんでした。③その後、欧化政策をとり、**鹿鳴館**を建設し、舞踏会を催して、外国に日本が進んだ国であることを印象づけようとしました。

④1894年、ロシアの南下に対抗するためイギリスはついに交渉に応じました。⑤外相**陸奥宗光**によって**日英通商航海条約**が結ばれ、**領事裁判権（治外法権）**の撤廃と関税自主権の一部回復に成功しました。⑥続いて、他の諸国とも条約改正に成功しました。

⑦関税自主権の完全な回復は、外相**小村寿太郎**のもと、1911年に実現しました。

74. The Japanese-Sino War

① After the conclusion of the Treaty of Kanghwa, Japan
締結　　　　　　　　　日朝修好条規

extended its influence on the Korean Peninsula and
〜へ勢力を伸ばした　　　　朝鮮半島

had a conflict with Qing.
〜と対立した　　　清

② In Korea, believers of a religion, *To-gaku*, rose in
信者　　　　　　　　　東学　　反乱を起こした

revolt to reject foreigners and to call for political
排斥する　　　　　　　　　求める

reform in 1894.

③ Japan and Qing sent their armies to Korea on the

grounds of settlement of the revolt. ④ After that, Japan
〜を口実にして　鎮めること

made the declaration of war against Qing on August 1,
〜に宣戦布告した

1894. ⑤ It ended in victory for Japan.
〜に終わった

⑥ In 1895, a peace conference was held in *Simonoseki*
講和会議　　　　　　　　開かれた　　　下関

and the Treaty of *Shimonoseki* was made between
下関条約

Japan and Qing. ⑦ Qing recognized the independence of
〜の独立を認めた

Korea, and it was forced to give up Liaodong Bandao
〜を…に譲る　遼東半島

and Taiwan to Japan and to pay the war indemnity.
台湾　　　　　　　　　　　　賠償金

⑧ The Treaty of *Shimonoseki* increased the status of
〜の地位を高めた

Japan in the international community and Japan got a
　　　　国際社会で
foothold to expand into the continent. [9] Nevertheless,
足場を得た　～へ進出する　　大陸
Russia, in cooperation with France and Germany,
　　　　～と協力して
required Japan to return Liaodong Bandao to Qing.
要求した　　　　　～に返還する
[10] Japan followed the requirement. [11] Japan, however,
　　　要求に従った
developed a dislike for Russia.
　　　　　～への反感

74. 日清戦争

[1]日朝修好条規の締結後、日本は朝鮮半島へ勢力を伸ばし、清（中国）との間に対立が深まりました。

[2]朝鮮では、1894年に宗教（東学）を信じる人々が、外国人の排斥や政治改革を求めて反乱を起こしました（**甲午農民戦争**）。

[3]甲午農民戦争を鎮めることを口実に、日本と清は朝鮮に出兵しました。[4]その後、日本軍は、1894年8月1日宣戦を布告し、日清戦争が始まりました。[5]戦いは日本の勝利に終わりました。

[6]1895年、講和会議が**下関**（山口県）で開かれ、講和条約（**下関条約**）が結ばれました。[7]下関条約で清は朝鮮の独立を認め、遼東半島・台湾などを日本に譲り、賠償金を日本に支払うことが決められました。

[8]日本は下関条約で国際的な地位を高め、大陸進出の足場を築きました。[9]しかし、ロシアはフランス・ドイツと結んで、遼東半島を清に返還するよう日本に要求してきました（**三国干渉**）。[10]政府は、遼東半島を返還しました。[11]しかし、日本国民はロシアへの反感を強めました。

75. The Japanese-Russo War

①Qing was defeated by a small country like Japan, so
清　　　　〜に敗れた

powerful countries such as Russia and Britain hunted
列強　　　　　　　　　ロシア　　　イギリス　利権を漁った

for concessions in Qing. ② A secret society, the Boxers,
　　　　　　　　　　　　秘密結社　　　義和団

protested the colonial rule by foreign countries and
抗議した　　　植民地支配

started a movement to reject them.　③ In 1900, the
　　　　　　　　　追い出す

Boxers surrounded embassies in Bejing and eight
　　　　包囲した　　公使館　　　北京

powerful countries including Japan sent armies there
　　　　　　　　　　　　〜を含む　　　　　〜に派遣した

and kept it down.
これを鎮めた

④ After this incident, Russia kept troops in Manchuria
　　　　　　　事件　　　　　　とどめた　　　　満州

and expanded into Korea. ⑤ Japan and Britain felt
　　　〜へ進出した

threatened and entered into Anglo-Japanese
脅威を感じた　　　〜を結んだ　　　日英同盟

Alliance. ⑥ *Uchimura Kanzo* and others protested
　　　　　　　　内村鑑三　　　　　　　　　　反対した

against war but an aggressive mood was prevailing in
　　　　　　　　好戦的なムード　　　　　広まっていた

Japan.

⑦The Japanese-Russo war broke out in 1904. ⑧ Japan
日露戦争　　　　　　起こった

occupied Lushun on Liaodong Bandao and destroyed
占領した　旅順　　遼東半島　　　　　　壊滅した

the Baltic Fleet. ⑨ Nevertheless, it was the limit of
バルチック艦隊   ～の限界

military power of Japan. ⑩ Russia had the domestic
～の軍事力   国内の問題

problem of a revolutionary movement. ⑪ Therefore,
           革命運動

both countries wanted to make peace, so they
                                    講和する

concluded the Treaty of Portsmouth in 1905.
締結した   ポーツマス条約

---

75. 日露戦争

①清が日本のような弱小国に敗れると、ロシアやイギリスなど
の列強は清での利権を漁りました。②清国内では秘密結社の義
和団を中心にして、清の半植民地化に抗議し、外国勢力を追い
出す運動が起こりました(**義和団事件**)。③1900 年には義和団は
北京にある各国の公使館を包囲しましたが、これに対して日本
をはじめとする列強8カ国は軍隊を北京に派遣し、これを鎮め
ました(**北清事変**)。

④義和団事件後も、ロシアは満州に軍隊をとどめ、韓国へも侵
攻しました。⑤脅威を感じた日本とイギリスは、**日英同盟**を結
びました。⑥内村鑑三らは開戦に反対しましたが、日本国内で
は開戦ムードが高まりました。

⑦1904 年、**日露戦争**が始まりました。⑧日本軍は遼東半島の**旅
順**を占領し、**バルチック艦隊**を壊滅させました。⑨しかし、日
本の戦力は限界に達していました。⑩ロシア国内でも革命運動
が起こりました。⑪そのため、日露両国は講和を望み、1905 年、
ポーツマス条約が締結されました。

76. The Battle of Tsushima（日本海海戦）

What a severe battle!
何て激しい戦いなんだ！

日露戦争において、多くの犠牲を出しながら、日本は旅順を陥落させました。

That'll
どうだ！
show you.

ロシアは大艦隊であるバルチック艦隊を黒海から日本海へ出撃させました。

We can hardly call at
harbors because
the shipping lane is along
British colonies.
航路はほとんどイギリスの
植民地だから、
上陸できないぞ。

日英同盟を結んでいたイギリスは、ロシアにスエズ運河を通らせませんでした。

バルチック艦隊の士気はあがりま
せんでした。

日本海軍のモチベーションは最高でした。

司令官東郷平八郎の作戦も的中し、バルチック艦隊を破りました。

日本の勝利はロシア支配下の国々
に希望を与えました。

一方で、日本国民に大国意識をめばえさ
せるきっかけにもなりました。

77. The Annexation of Korea and the Industrial Revolution in Japan

[1] After the Japanese-Russo war, Japan colonized Korea
日露戦争　〜を植民地化した　韓国

and placed the governing institution, *Tokan-fu*, in Seoul.
置いた　機関　統監府　ソウル

[2] *Ito Hirobumi* became the first *Tokan* (the chief of it).
伊藤博文　統監

[3] Soldiers and people of Korea made a stand against
兵士　〜に抵抗した

the invasion and assassinated him in 1909. [4] Japan
侵略　暗殺した

annexed Korea in 1910 and placed the governing
併合した

institution, *Chosen-sotoku-fu*, and ruled it until 1945.
朝鮮総督府　支配した

[5] The *Meiji* government carried out the encouragement
明治政府　殖産興業

of new industry and modernized industry. [6] The
近代化した　産業

Japanese industrial revolution took place around light
産業革命　起こった　軽工業

industry and Japan exported cotton goods to Korea
輸出した　綿製品

and China in the 1890s.
中国

[7] Around the Japanese-Russo war, the heavy industry
重工業部門

sector developed in Japan. [8] *Mitsui*, *Mitsubishi*,
三井　三菱

Sumitomo and *Yasuda* grew into conglomerates which
住友　安田　〜に成長した　財閥

ruled the Japanese economy.
支配した

^⑨There were new problems with the development of heavy industries. ^⑩Young female workers who
<small>若い女子労働者</small>
supported the textile industry were forced to work
<small>支えた</small>　<small>繊維産業</small>　<small>〜することを強いられた</small>
long hours, and male workers were forced to do heavy
<small>男子労働者</small>　<small>重労働</small>
work in the mining industry.
<small>鉱山業</small>

77. 韓国併合と日本の産業革命

^①日露戦争後、日本は韓国の植民地化を進め、ソウルに統監府（とうかんふ）を置きました。^②初代統監には伊藤博文（いとうひろぶみ）が就任しました。^③韓国の兵士や民衆は日本の侵略に抵抗し、1909 年には伊藤博文を暗殺しました。^④1910 年、日本は**韓国を併合**し、朝鮮総督府（そうとくふ）を置いて、1945 年まで支配しました。

^⑤明治政府は殖産興業（しょくさんこうぎょう）を進め、産業の近代化を進めました。^⑥日本では軽工業を中心に産業革命が始まり、1890 年代には綿製品を朝鮮や中国へ輸出するようになりました。

^⑦日露戦争前後には重工業部門が発展しました。^⑧三井（みつい）・三菱（みつびし）・住友（すみとも）・安田（やすだ）は、日本経済を支配する**財閥**（ざいばつ）に成長していきました。

^⑨重工業が発展する一方、新たな問題も発生しました。^⑩繊維産業を支えていた若い女子労働者は、長時間労働に従事させられ、男性労働者は鉱山業などで厳しい労働を強（し）いられていました。

78. Modern Cultures

①Modern literature developed through the unification
近代文学　　　　　発展した　　　～によって　言文一致
of the spoken and written languages. ②*Tsubouchi*
　　　　　　　　　　　　　　　　　　　　　　　坪内逍遥

Shoyo wrote *The Essence of the Novel* in 1885
　　　　　　　　　　『小説神髄』

advocating realism in which the writers expressed
提唱して　　　写実主義　　　　　　　　　　　　表現した
facts and people's feelings warts and all. ③*Futabatei*
事実　　　人間の感情　　　ありのままに　　　二葉亭四迷

Shimei wrote *Ukigumo* (Floating Cloud) in a
　　　　　　　　『浮雲』

colloquial style.
言文一致体
④Around the Japanese-Sino war, romantic literature
　　　　　　　日清戦争　　　　　　ロマン主義　文学
which made much of people's emotion came on the
　　　～を重視した　　　　　　感情　　現れた
scene. ⑤As for novels, *Higuchi Ichiyo*'s *Child's Play*
　　　　　　　　　　　　　樋口一葉　　　『たけくらべ』
(Measuring Heights) and *Mori Ogai*'s *The Dancing Girl*
　　　　　　　　　　　森鷗外　　　『舞姫』
were famous. ⑥In poetry, *Yosano Akiko*'s *Tangled Hair*
　　　　　　　　　　　　与謝野晶子　　『みだれ髪』
and *Shimazaki Toson*'s poem collection, *Wakana-shu*
　　島崎藤村　　　　　　　　　　　　　『若菜集』
were popular.

⑦At the time of the Japanese-Russo war, naturalistic
　　　　　　　　　日露戦争　　　　　　自然主義文学
literature became at its best and *Ishikawa Takuboku*
　　　　盛んとなる　　　　　　　　　石川啄木

wrote *A Handful of Sand*. [8] *Natsume Soseki* established
『一握の砂』　　　　　夏目漱石　　　　　うちたてた

his own literature based on individualism and wrote
　　　　　　　　　　～に基づく　個人主義

Botchan (Master Darling) and so on.
『坊っちゃん』

[9] In art, Fenollosa and *Okakura Tenshin* worked hard
　　　　　フェノロサ　　　　岡倉天心　　　　努めた

to revive Japanese-style painting. [10] *Yokoyama Taikan*
復興する 日本画　　　　　　　　　　横山大観

opened up the new style of modern painting.
開拓した　　　新しい様式　　　　近代絵画

78. 近代の文化

[1]近代文学発展のきっかけとなったのは、話し言葉（口語）で文章を書くという**言文一致**でした。[2]1885 年、**坪内逍遙**は『**小説神髄**』を著し、事実や人間の心の動きをありのままに表現しようとする**写実主義**を提唱しました。[3]**二葉亭四迷**は言文一致体の『**浮雲**』を著しました。

[4]日清戦争の前後になると、人間の感情面を重視する**ロマン主義**文学が起こりました。[5]小説では『**たけくらべ**』の**樋口一葉**や『**舞姫**』の**森鷗外**がよく知られています。[6]詩歌では『**みだれ髪**』の**与謝野晶子**や『**若菜集**』の**島崎藤村**らが活躍しました。

[7]日露戦争のころには**自然主義**が盛んとなり、『**一握の砂**』の**石川啄木**らが活躍しました。[8]**夏目漱石**は個人主義に基づく独自の文学をうちたて、『**坊っちゃん**』などを著しました。

[9]芸術では**フェノロサ**が**岡倉天心**と協力して日本画の復興に努めました。[10]**横山大観**は近代絵画の新しい様式を開拓しました。

79. World War Ⅰ and Japan

① In 1914, the Prince and Princess of Austria were
オーストリアの皇太子夫妻
assassinated by a Serbian young man in Sarajevo.
～に暗殺された　　　セルビアの青年　　　　サラエボ
② Austria made the declaration of war against Serbia.
　　　　～に宣戦布告した
③ Germany, which was allied with Austria, was on
ドイツ　　　　　～と同盟関係にあった
Austria's side and Britain, France and Russia were
オーストリアの側についた　イギリス　フランス　ロシア
on Serbia's side. ④ Japan wanted to expand into the
　　　　　　　　　　　　　　　　　　　　～へ進出する
continent and declared war on Germany on the
　　　　～に宣戦した　　　　　　　　～を口実にして
grounds of Anglo-Japanese Alliance.
　　　　　　日英同盟
⑤ In 1918, Germany gave in and World War I ended. ⑥ In
　　　　　　　　　降伏した　　　第一次世界大戦　終わった
1919, a peace conference was held in Paris and the
　　　講和会議　　　　　開かれた　　パリ
Treaty of Versailles was concluded. ⑦ In this peace
ベルサイユ条約　　　結ばれた
conference, Japan got the concessions of Germany, so
　　　　　　　　得た　ドイツ利権
anti-Japanese sentiment grew in China. ⑧ Students in
反日感情　　　　　高まった
Beijing started an anti-Japanese movement on May 4,
北京　　　　　　反日運動
1919 and it grew into a large-scale movement (*Go-Shi*
　　　　　　　　　　大規模な運動　　　五・四運動
movement).

⑨In Korea, members of the independence movement
　　　　　　　　　　　　独立運動

declared the independence of Korea on March 1,1919.
独立を宣言した

⑩They marched in a demonstration and it spread all
　　　　デモ行進を行なった　　　　　　　　　　　　　　～全土に広がった

over Korea. ⑪This is called the *San-Ichi* independence
　　　　　　　　　　　　　　　　　　　　　三・一独立運動

movement but Japan quieted it by military means.
　　　　　　　　　　　　　　鎮めた　　　武力で

---

79. 第一次世界大戦と日本

①1914 年、**サラエボ**で、オーストリアの皇太子夫妻が**セルビ
ア**の青年に暗殺されました。②これを機に、オーストリアがセ
ルビアに宣戦布告しました。③オーストリアと同盟関係にあっ
た**ドイツ**がこれに加わり、セルビアを支援する**イギリス・フラ
ンス・ロシア**との間で戦争が起こりました。④日本は大陸進出
の好機として、**日英同盟**を理由にドイツに宣戦しました。
⑤1918 年、ドイツが降伏し、第一次世界大戦は終わりました。
⑥1919 年にはパリで講和会議が開かれ、**ベルサイユ条約**が結
ばれました。⑦この講和会議で、ドイツ利権の日本への継承が
認められたため、中国の反日感情は高まりました。⑧1919 年 5
月 4 日、北京の学生が反日運動を起こし、大規模な運動へ発
展しました（**五・四運動**）。
⑨1919 年 3 月 1 日、朝鮮では、独立運動家が独立を宣言しまし
た。⑩人々はデモ行進を行ない、朝鮮全土に広がりました。⑪こ
れを**三・一独立運動**といい、日本は武力でこれを鎮めました。

80. The War Boom and the Rice Riot

①Europe was the main battlefield of World War I, so
Japan was not damaged by the war. ②Japan enjoyed an
unprecedented economic boom because exports
increased by a flood of orders of war supplies from
Western countries. ③The domestic machine industry
and chemical industry developed because of the
decrease of imports from those countries.
④The economic boom invited price increase.
⑤Especially, rice prices rose sharply. ⑥In 1918,
housewives in a fishing village in *Toyama* hit rice
stores for cheaper rice. ⑦With this case as a start,
people all over the country stood up and hit rice stores
and big shops. ⑧This is called the rice riot. ⑨About
700,000 people took part in it and the government kept
it down by military means. ⑩The *Terauchi Masatake*
Cabinet resigned in a body to take responsibility for the

176

rice riot.

⑪ The Great *Kanto* Earthquake struck on September 1,
　関東大震災　　　　　　　　　　　　　起こった

1923 and *Tokyo* and *Yokohama* were destroyed by it.
　　　　　　　　　　　　　　　　　壊滅状態となった

⑫ It also caused a heavy damage to the national
　　　　　　～に大きな打撃を与えた　　　　　　　国内経済

economy.

---

80. 大戦景気と米騒動

①第一次世界大戦はヨーロッパが主な戦場であり、日本の国土は被害を受けませんでした。②さらに、欧米諸国から軍需品の注文が殺到し、大幅に輸出が増大して、それまでにない**好景気**をむかえました。③また、欧米諸国からの輸入が減少したため、機械工業、化学・薬品工業などが発達しました。

④好景気は物価の上昇を招きました。⑤特に米価は急激に上昇しました。⑥1918年、富山県の漁村の主婦たちが米の安売りを要求して米屋を襲いました。⑦これをきっかけに、全国各地で民衆が決起し、米屋や大商店を襲いました。⑧これを**米騒動**といいます。⑨米騒動は約70万人が参加する大騒動となり、政府は軍隊を出動させてようやくこれをおさえました。⑩米騒動の責任をとって寺内正毅内閣は総辞職しました。

⑪1923年9月1日、**関東大震災**が起こり、東京や横浜は壊滅状態となりました。⑫経済も大きな打撃を受けました。

81. The Taisho Democracy

① In the *Meiji* period, the government was carried out
明治時代　　　　　　　　　　　　　　　　　　　　行なわれた
with officials and military men at its center. ② In 1912,
官僚や軍人を中心として
Katsura Taro formed his cabinet and ignored the Diet,
桂太郎　　　　　　組閣した　　　　　　無視した　議会
so *Ozaki Yukio* and *Inukai Tsuyoshi* started the *Kensei-*
尾崎行雄　　　　　犬養毅　　　　　　　　　　　　　憲政擁護運動
yogo movement to seek a government with the Diet at
　　　　　　　　　　　　～を求める　　　　　　議会を中心とした
its center. ③ This movement received public support
　　　　　　　　　　　　　　　　受けた　　　国民の支持
and the *Katsura* Cabinet was overthrown.
　　　　桂内閣　　　　　　　倒された
④ *Yoshino Sakuzo* advocated *Minpon-shugi* in which
吉野作造　　　　　　提唱した　民本主義
public opinion would be reflected in the government by
民意　　　　　　　　～に反映される
popular election. ⑤ This democratic tendency in the
普通選挙　　　　　　　　　　　　　　　風潮
Taisho period is called *Taisho* democracy.
大正時代　　　　　　　　大正デモクラシー
⑥ In 1918, the president of the political party, *Rikken-*
　　　　　　　総裁　　　　　　政党　　　　　立憲政友会
seiyu-kai, *Hara Takashi*, became prime minister and
　　　　　　　原敬　　　　　　　　　首相
formed a real party cabinet for the first time. ⑦ The
　　　　本当の 政党内閣
second *Goken* movement began in 1924 and the
第二次護憲運動
president of the political party, *Kensei-kai*, *Kato*
　　　　　　　　　　　　　　　　　　憲政会　　　加藤高明

178

Takaaki, formed a coalition cabinet. [8] After that, it
　　　　　　　　連立内閣

became a political custom for party presidents to form
　　　　　政治の習わし　　　　　　政党の総裁

the cabinet.

[9] In 1925, the *Kato* Cabinet enacted the law of popular
　　　　　　　　　　　　　　　　制定した

election. [10] The public security preservation law was
　　　　　治安維持法

also enacted to crack down on communists at the same
　　　　　　　　　　 ～を取り締まる　　　共産主義者

time.

---

81. 大正デモクラシー

[1]明治時代から官僚（役人）や軍人中心の政治が行なわれていました。[2] 1912 年に桂太郎が組閣をする際、議会を無視する態度をとったため、尾崎行雄や犬養毅らが中心となって議会中心の政治を求める**憲政擁護運動（護憲運動）**を起こしました。[3]運動は国民の支持を受け、桂内閣は倒れました。

[4]**吉野作造**は、普通選挙によって民意を政治に反映させるという**民本主義**を主張しました。[5]このように大正時代に起こった、民主主義の風潮を**大正デモクラシー**といいます。

[6] 1918 年、立憲政友会総裁**原敬**が首相となり、はじめての本格的な政党内閣が成立しました。[7] 1924 年に第二次護憲運動が起こり、憲政会総裁の加藤高明を首相とする連立内閣が成立しました。[8]以後、政党の総裁が内閣を組織することが政治の習わしとなりました。

[9] 1925 年、加藤内閣は**普通選挙法**を成立させました。[10]共産主義者を取り締まるための**治安維持法**も同時に成立させました。

82. The World Crisis and the Response of the Countries

① After World War I, the U.S. became a key player in the
global economy. ② But the stock market crashed on the
New York Stock Exchange in 1929, banks went
bankrupt and many people lost their jobs. ③ This
confusion became a world crisis.

④ In the U.S., Franklin Roosevelt established the New
Deal to increase employment through public works
projects. ⑤ Britain and France adopted a bloc economy
and raised tariffs to force foreign goods out of their
colonies. ⑥ The Soviet Union, the socialist state, was
carrying out a five-year plan, so it was not affected by
the world crisis. ⑦ Germany, Italy and Japan were
pushed out of these economic blocs and suffered a
serious blow.

⑧ Germany had trouble paying the war indemnity of
World War I. ⑨ Hitler of the Nazi Party received public

support. ⑩Hitler was elected to office in 1933, and
選挙に勝って政権を握った

German Nazis left the League of Nations and increased
ナチスドイツ　　　　　　国際連盟　　　　　　　　　　強化した

armaments. ⑪ In Italy, the Fascist party led by
軍備　　　　　　　　　　　　　　　ファシスト党

Mussolini took the helm of the country and
ムッソリーニ　　　政権を握った

strengthened its military power.
強めた　　　　　　　軍事力

82. 世界恐慌と各国の対応

①第一次世界大戦後、世界の経済の中心となったのはアメリカでした。②しかし1929年、ニューヨーク証券取引所で株価が大暴落し、銀行がつぶれ、失業者が街にあふれました。③この混乱をきっかけに**世界恐慌**が起こりました。

④アメリカは、フランクリン・ルーズベルト大統領が**ニューディール政策**を打ちたて、大規模な公共事業をおこして、失業者を減らそうとしました。⑤イギリスやフランスは、関税を高くして植民地から他国の商品をしめ出す**ブロック経済**政策をとりました。⑥5カ年計画を進めていた社会主義国のソ連は、恐慌の影響を受けませんでした。⑦ドイツやイタリア、日本などは、こうした経済圏からしめ出され、深刻な打撃を受けました。

⑧ドイツは第1次世界大戦の賠償金の支払いに苦しめられていました。⑨**ナチス党**の**ヒトラー**が国民の支持を受けました。⑩ヒトラーは、1933年に政権を握ると、国際連盟から脱退し、軍備を強化しました。⑪イタリアでは**ムッソリーニ**が率いる**ファシスト党**が政権を握り、軍事力を強めました。

83. The Manchurian Incident

① The world crisis did heavy damage to the Japanese
世界恐慌　　　～に大打撃を与えた

economy and it slipped deep into recession (*Showa*
深刻な不況に陥った

crisis). ② The price of farm produce decreased sharply
農作物の価格　　　暴落した

and peasants had a hard life. ③ Industrial and agrarian
苦しい生活を送った　労働争議と小作争議

disputes frequently arose.
起こった

④ In China, the Republic of China was founded in the
中華民国　　　成立した

Chinese Revolution led by Sun Wen in 1911, but armed
辛亥革命　　　　孫文　　　　軍閥

factions engaged in struggle for power all over the
～を行なう　　勢力争い

country and it remained politically instable. ⑤ After Sun
～のままだった　政治的に不安定な

Wen's death, Chiang Kai-shek became the leader of the
蒋介石

Kuomintang Party.
中国国民党

⑥ The Japanese army (the Kwantung army) blew up
日本軍　　　　　関東軍　　　　　爆破した

railway of the South Manchuria Railway in September
南満州鉄道

1931, made a false charge against the Chinese army
～にぬれ衣を着せた　　　中国軍

and took military action. ⑦ This is the Manchurian
軍事行動を起こした　　　　満州事変

incident. ⑧ The Kwantung army occupied the main part
占領した

of Manchuria and established Manchukuo in March
　　　　　　　　　　つくった　　　　満州国
1932. ⑨The League of Nations sent the Lytton
　　　　　　　国際連盟　　　　　　　　　　　　リットン調査団
Commission and urged Japan to pull its troops out
　　　　　　　　　　　〜するように勧告した　　〜から…を引きあげる
of Manchuria. ⑩Japan left the League of Nations to
　　　　　　　　　　　　　　　　　脱退した
protest it.
これに反発して

---

83. 満州事変

①世界恐慌は日本の経済にも大打撃を与え、深刻な不況に陥りました（**昭和恐慌**）。②農作物の価格は暴落して農村の生活は苦しくなりました。③そのため労働争議や小作争議が激化しました。

④中国では、1911年に孫文が指導した**辛亥革命**で**中華民国**が成立しましたが、軍閥の勢力争いが各地で活発となり、政治は不安定なままでした。⑤孫文が死去すると、蔣介石が中国国民党の指導者となりました。

⑥日本軍（関東軍）は、1931年9月、南満州鉄道の線路を爆破し、これを中国軍のしわざとして軍事行動を開始しました。⑦これを**満州事変**といいます。⑧関東軍は満州の主要部を占領し、1932年3月には**満州国**をつくりました。⑨国際連盟は、**リットン調査団**を派遣し、日本軍の満州からの引き上げを求めました。⑩しかし日本はこれに反発し、国際連盟を脱退しました。

満州事変が起こり、日本は満州(中国東北部)を占領しました。

国際連盟はリットン調査団を派遣しました。

リットン調査団は「日本の軍事行動は不法」とする報告書を発表しました。

日本側はこの報告書を批判しました。

国際連盟の会議で、日本代表松岡洋右は報告書を激しく批判しました。

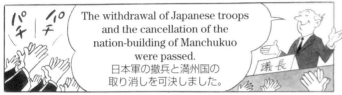

しかし国際連盟の総会は、満州国の取り消しを決定しました。

松岡洋右は国際連盟からの脱退を宣言しました。

松岡は総会の会場から退場しました。

国際連盟からの脱退は、日本が世界から孤立するきっかけになりました。

85. The Rise of the Military and the Japanese-Chinese War

①In Japan, the military and nationalists began to think
軍部　　　　　　　国家主義者

of overthrowing the party cabinet to invade the
政党内閣を倒すこと　　　　　　侵略する

continent.

②The Prime Minister at that time, *Inukai Tsuyoshi*,
当時の首相　　　　　　　　　　　　犬養毅

opposed the approval of Manchukuo and wanted to
反対した　　承認　　　　満州国

settle the Manchurian Incident in negotiation with
解決する　　　　　　　　　　　　　～との交渉で

China. ③Some young naval officers were unhappy with
海軍の将校　　～に不満であった

it and assassinated him on May 15, 1932. ④This
暗殺した

incident is called *Go-ichi-go-jiken*.
五・一五事件

⑤On February 26, 1936, some young army officers
陸軍の将校

attempted a coup d'état and attacked the office of the
クーデターを企てた　　　　襲撃した　　首相官邸

Prime Minister. ⑥They occupied central *Tokyo* for a
東京の中心部　　　一時

while. ⑦This incident is called *Ni-niroku-jiken*. ⑧It
二・二六事件

ended in failure but the military got a bigger voice in the
失敗に終わった　　　　　　　　より強い発言力　政治において

government. ⑨Japan concluded the agreement, the *Nichi-*
結んだ

Doku-I-sangoku-bokyo-kyotei, with Germany and Italy in 1937.
日独伊三国防共協定　　　　　　　　　　　　　　　イタリア

[10] In July 1937, the Japanese-Chinese war broke out.
　　　　　　　　　　　日中戦争

[11] The Japanese army occupied Nanjing and killed many
　　　　　　　　　　　　占領した　　南京

Chinese including women and children. [12] The Chinese
　　　　　　　 ～を含む　　　　　　　　　　　中国国民党

Kuomintang Party and the Communist Party formed the
　　　　　　　　　　　　　共産党　　　　　　　　　結成した

united front, the *Konichi-minzoku-toitsu-sensen*.
　　戦線　　　　抗日民族統一戦線

85. 軍部の台頭と日中戦争

[1]日本国内では軍部や国家主義者の間に、大陸侵略を進めるために政党内閣を倒そうと考え始めました。

[2]当時の首相犬養毅は、満州国を承認することに反対していて、中国との交渉で満州事変の解決をはかろうとしていました。

[3]これを不服とした海軍の青年将校らが1932年5月15日、犬養毅首相を暗殺しました。[4]これを五・一五事件といいます。

[5]1936年2月26日には、陸軍の青年将校がクーデターを企て、首相官邸などを襲撃しました。[6]一時は東京の中心部を占拠しました。[7]これを二・二六事件といいます。[8]クーデターは失敗に終わりましたが、軍部の政治的発言力は強くなりました。

[9]日本は、1937年にドイツ、イタリアと日独伊三国防共協定を結びました。

[10]1937年7月、日中戦争が始まりました。[11]日本軍は南京を占領、その際女性や子どもを含む多くの中国人を殺害しました（南京事件）。[12]中国では国民党と共産党が抗日民族統一戦線を結成しました。

86. The Reinforcement of the War Footing

①The war dragged on and the government muzzled the
長引いた　　　　　　　　　　　　統制した

newspapers and broadcasting and censored
新聞　　　　　　放送　　　　　　　検閲した

publications to crack down on antiwar ideas.
出版物　　　　～を取り締まる　　反戦的な思想

②The National Mobilization Law was set up in 1938 and
国家総動員法　　　　　　　　　定められた

the government came to be able to mobilize the people
動員する　国民

and goods without the Diet approval. ③In 1940, almost
物資　　　議会の承認なしに　　　　　　　ほとんどすべての

all the political parties and groups dissolved and they
政党　　　　　　団体

were bound together into the institution, *Taisei-*
～にまとめられた　　　　　　組織　　　　　　大政翼賛会

yokusan-kai, so the Diet lost substance.
形だけのものになった

④The war footing impacted the lives of the people. ⑤A
戦時体制　　　　影響を与えた

rationing system was introduced and people found
配給制　　　　　　導入された

difficulty getting basic goods. ⑥The neighborhood
生活必需品　　　隣組

community associations were formed in each town and
つくられた

village, and everyday life of the people was controlled.
日常生活　　　　　　　　　　　　統制された

⑦In 1941, elementary school was changed into
小学校　　　　　～に変えられた

Kokumin-gakko and it provided militaristic education.
国民学校　　　　　　　行なった　軍国主義の教育

188

⑧ In Korea, in the name of the policy of the *Kominka*,
〜の名のもとに   皇民化

Japan forced people to use the Japanese language and
〜を強いた

Japanese-style names (*Soshi-Kaimei*) and to visit
日本式の氏名   創氏改名   参拝する

shrines. ⑨ In 1938, Japan mobilized the Korean people

by the system of the *Shigan-hei-seido*.
　　　　　　　　　　　　　志願兵制度

---

86. 戦時体制の強化

① 日中戦争が長引くにつれて、政府は新聞や放送などを統制し、出版物に対して**検閲**を行ない、戦争に批判的な言論や思想を取り締まりました。

② 1938 年には**国家総動員法**が定められ、議会の承認なしに、物資と国民すべてが戦争のために動員されることになりました。③ 1940 年には、ほとんどの政党や政治団体が解散し、**大政翼賛会**という組織にまとめられ、議会は形だけのものになりました。④ 国民の生活も戦時体制の影響を受けました。⑤ 配給制が導入され、生活必需品が手に入りにくくなりました。⑥ 町や村には**隣組**がつくられ、日常生活は統制されました。⑦ 1941 年には、小学校が国民学校に改められて軍国主義の教育が行なわれるようになりました。

⑧ 朝鮮では、**皇民化**の名のもとに、日本語の使用や日本式の氏名を名乗る**創氏改名**を強制したり、神社をつくって参拝させたりしました。⑨ 1938 年には志願兵制度がつくられ、朝鮮の人々も戦争に動員されました。

87. Germany and World War Ⅱ

① German Nazis led by Hitler ignored the Treaty of
ナチス・ドイツ　～に率いられた　ヒトラー　無視した　ベルサイユ条約

Versailles and started to invade neighboring countries.
侵略する　周辺諸国

② Germany annexed Austria and, later, Czechoslovakia,
併合した　オーストリア　チェコスロバキア

and formed a military alliance with Italy. ③ After the
～と…を結んだ　軍事同盟　イタリア

conclusion of a mutual nonaggression treaty with the
締結　不可侵条約　ソ連

Soviet Union, Germany made inroads into Poland.
～に侵攻した　ポーランド

④ Britain and France proclaimed war against Germany
イギリス　フランス　～に宣戦した

and World War Ⅱ broke out. ⑤ In 1940, Italy took part in
第二次世界大戦　始まった　参戦した

the war on the German side and Germany brought
ドイツ側で

France to terms and began air raids on London.
フランスを降伏させた　～へ空襲を行なった

⑥ Germany also occupied Greece and Yugoslavia in
占領した　ギリシャ　ユーゴスラビア

1941 and subjected most of Europe to its rule. ⑦ In June
ヨーロッパのほとんどを支配下に置いた

1941, Germany tore up the mutual nonaggression treaty
破った

and started to make inroads into the Soviet Union.

⑧ After the Soviet army defeated the German army in
破った

Stalingrad in 1943, the allied forces began to fight back
スターリングラード　連合国軍　反撃する

190

and brought down Mussolini and brought Italy to
　　　　　　　～を失脚させた　　ムッソリーニ

terms. ⑨ In May 1945, the Soviet army occupied Berlin
　　　　　　　　　　　　　　　　　　　　　　　　　　　ベルリン

and Hitler killed himself, and Germany surrendered.
　　　　　　　自殺した　　　　　　　　　　　　　　　　降伏した

87. ドイツと第二次世界大戦

①ヒトラーが率いた**ナチス・ドイツ**は、ベルサイユ条約を無視して周辺諸国への侵略を開始しました。②**オーストリア、チェコスロバキア**を併合して、**イタリア**と軍事同盟を結びました。③さらにソ連と不可侵条約を結ぶと、**ポーランド**に侵攻しました。④これに対し、**イギリスやフランス**はドイツに宣戦し、**第二次世界大戦**が始まりました。⑤1940年、イタリアもドイツ側に加わって参戦しました。ドイツはフランスを降伏させ、ロンドンへの空襲も行ないました。⑥1941年にはギリシャやユーゴスラビアを占領し、ヨーロッパのほとんどを支配下に置きました。⑦1941年6月には不可侵条約を破ってソ連に侵攻を開始しました。

⑧1943年にソ連軍がスターリングラードでドイツ軍を破ると、連合国軍の反撃が始まり、ムッソリーニを失脚させ、同年9月にはイタリアを降伏させました。⑨1945年5月、ソ連軍はベルリンを占領し、ヒトラーは自殺してドイツも降伏しました。

88. The Outbreak of the Pacific War

① As the Japanese-Chinese war dragged on, Japan got
日中戦争が長期化するにつれて

into bad terms with the U.S. and Britain. ② Japan
～と関係が悪くなった   アメリカ   イギリス

became in a difficult position because it had depended
難しい立場になった   ～に依存していた

mainly on the U.S. for resources such as oil and
                        資源   石油

ironstone. ③ Japan aimed at expanding into Southeast
鉄鉱石   目指した   ～に進出すること   東南アジア

Asia to secure them. ④ Japan insisted on establishing
       確保する   ～を主張した   建設

the Greater East Asia Co-prosperity Sphere for Asians.
大東亜共栄圏   （共に栄えること） （圏、領域） アジア人のための

⑤ Japan made inroads into northern French Indochina
       ～に侵攻した   フランス領インドシナ北部

in 1940. ⑥ In that year, Japan established the alliance, the
                              結んだ

Nichi-Doku-I-sangoku-domei, with Germany and Italy,
日独伊三国同盟

and the treaty, the *Ni-So-churitsu-joyaku*, with the
                    日ソ中立条約   ソ連

Soviet Union in 1941. ⑦ After that, the Japanese army

entered into southern French Indochina.
～に進入した   フランス領インドシナ南部

⑧ As a punishment for it, the U.S. and Britain banned
     ～の制裁として   禁止した

exports of oil to Japan and imposed an economic
～への石油の輸出   課した   経済封鎖

blockade by ABCD-*hoijin* (America-Britain-China-Dutch
            ABCD包囲陣

Line) <u>against</u> Japan. ^⑨ Therefore, <u>the Japanese military</u>
〜に対して　　　　　　　　　　　　日本の軍部

wanted to <u>make war against</u> the U.S. and Britain but <u>the</u>
〜と戦争する

<u>*Konoe Fumimaro* Cabinet</u> <u>negotiated with</u> the U.S. to <u>avoid</u>
近衛文麿内閣　　　　　〜と交渉した　　　　　　　　避ける

the war, <u>but in vain.</u> ^⑩ In October 1941, when <u>a military man,</u>
しかし、うまくいかなかった　　　　　　　　　　　軍人

<u>*Tojo Hideki*,</u> became <u>Prime Minister,</u> war became <u>inevitable.</u>
東条英機　　　　　　首相　　　　　　　　　　避けられない

88. 太平洋戦争勃発

^①日中戦争が長期化するにつれ、日本はアメリカやイギリスとの関係が悪化しました。^②石油・鉄鉱石などの資源を主にアメリカからの輸入に頼っていた日本の立場は苦しくなりました。^③日本は、東南アジアに進出して資源を獲得することを目指しました。^④そして、アジア民族だけで栄えようとする「**大東亜共栄圏**」の建設を主張しました。^⑤1940年、フランスの植民地であった**インドシナ北部**に侵攻しました。^⑥日本は同年、ドイツ・イタリアと**日独伊三国同盟**を結び、1941年にはソ連と**日ソ中立条約**を結びました。^⑦さらに、日本はフランス領インドシナ南部にも軍を進めました。

^⑧こうした日本の動きに対し、アメリカ・イギリスは日本への石油輸出禁止や、**ＡＢＣＤ包囲陣**による経済封鎖を実行しました。^⑨これに対し、日本の軍部はアメリカやイギリスと開戦しようと考え、反対に近衛文麿内閣は戦争を避けるために日米交渉を続けましたが交渉での解決は実りませんでした。^⑩1941年10月に軍人の**東条英機**が首相になると、開戦は決定的となりました。

89. The Wartime Life of the People

① On December 8, 1941, the Japanese army landed on
日本の陸軍　　　　　　〜に上陸した

British Malay Peninsula and the navy made a sneak
イギリス領　マレー半島　　　　　海軍　　　奇襲攻撃

attack at Pearl Harbor. ② Japan declared war against
真珠湾　　　　　　　　　　〜に宣戦布告した

the U.S. and Britain, and the Pacific War broke out.
アメリカ　　　　　　　　太平洋戦争　　　始まった

③ Japan said it was a war for the establishment of the
〜のための

Greater East Asia Co-prosperity Sphere and Asian
大東亜共栄圏　　　　　　　　　　　　　　　アジアを

liberation from Western rule. ④ Nevertheless, Japan
欧米諸国の支配から解放すること

occupied Singapore, Burma, Philippines and Indonesia
占領した　シンガポール　ビルマ　フィリピン　　　インドネシア

and didn't recognize their independence.
認める　　　　独立

⑤ At first, Japan succeeded in extending the front in
〜に成功した　　戦線拡大

Southeast Asia but it was defeated in the Battle of
東南アジア　　　　　敗れた　　　　ミッドウェー海戦

Midway Island in June 1942 and in the Battle of
ガダルカナル島の攻防戦

Guadalcanal in August. ⑥ The tide of war changed and
戦局は一変した

the allied forces launched a large-scale counterattack.
連合国軍　　　　　大規模な反撃に出た

⑦ In Japan, people and commodities were all mobilized.
物資　　　　すべて動員された

⑧ College students also went off to war by *Gakuto-*
大学生　　　　　　　　　　　　　　　　　　学徒出陣

194

shutsujin in 1943. [9] Japan brought in a large number of
　　　　　　　　　　　　　　連行した
people against their will from Korea and China to
　　　　強制的に　　　　　　　　　　朝鮮　　　　中国
secure manpower. [10] In July 1944, the allied forces
労働力を確保する
occupied Saipan and attacked Japan from the air.
占領した　　　サイパン島　　　日本を空襲した

89. 戦時下の国民生活

[1]1941年12月8日、日本の陸軍はイギリス領**マレー半島**に上陸し、海軍は**ハワイ**の**真珠湾**を奇襲しました。[2]日本は、アメリカ・イギリスに宣戦布告して、**太平洋戦争**が始まりました。[3]日本軍は戦争の目的を「大東亜共栄圏」の建設にあるとして、アジアの諸民族を欧米諸国の植民地支配から解放すると謳いました。[4]しかし、シンガポール・ビルマ（現在のミャンマー）・フィリピン・インドネシアなどを占領しても、諸国の独立を認めませんでした。

[5]開戦してしばらくは東南アジアの戦線拡大に成功していた日本軍でしたが、1942年6月に**ミッドウェー海戦**で敗れ、同年8月に**ガダルカナル島**での攻防戦に敗れました。[6]すると戦局は一変し、連合国軍の反撃が本格化しました。[7]日本国内では、人も物資も戦争に動員されました。[8]1943年には**学徒出陣**が始まり、大学生も戦地に送られました。[9]労働力確保のため、朝鮮や中国からも多くの人々を強制連行しました。[10]1944年7月に**サイパン島**が連合国軍に占領されると、日本本土を空襲しました。

90. The Potsdam Declaration and the End of the Pacific War

① From 1944, B-29 bombers made air raids on Japan.
　　　　　　　　B29爆撃機　　　〜へ空襲をした

② In March 1945, *Tokyo* suffered a random attack by
　　　　　　　　　　東京　　受けた　　　無差別攻撃

fire bombs and was turned into complete burnt-out
焼夷弾　　　　　　〜になった　　　焼け野原

ruins. ③ About 100,000 people fell victim to it. ④ The
　　　　　　　　　　　　　　　　その犠牲になった

allied forces landed on *Okinawa*. ⑤ Japan battled
連合国軍　　　上陸した　　沖縄　　　　　　　〜と戦った

against them, mobilizing even junior high school
　　　　　　　〜を動員して

students and female students, but it was defeated.
　　　　　　　　　　　　　　　　　　　　　敗れた

⑥ More than 120,000 people fell victim to it.

⑦ In July 1945, Truman of the U.S., Churchill of Britain
　　　　　　　　トルーマン　　　　チャーチル

and Stalin of the Soviet Union had a conference in
　　スターリン　　　　　　　　　会議をした

Potsdam and announced the Potsdam Declaration to
ポツダム　　　発表した　　　ポツダム宣言

demand Japan's unconditional surrender. ⑧ Japan,
要求する　　　　　無条件降伏

however, rejected the demand and the U.S. dropped
　　　　退けた　　　　　　　　　　　　　　投下した

atomic bombs over *Hiroshima* on August 6, 1945 and
原子爆弾　　　　広島

Nagasaki on August 9 in order to bring the war to a
長崎　　　　　　　　　　　　　戦争を早期終結させる

rapid conclusion. ⑨ These atomic bombs took more
　　　　　　　　　　　　　　　　30万人以上の犠牲者を出した

196

than 300,000 victims. ⑩ On August 8, the Soviet Union

tore up the Soviet-Japanese Neutrality Treaty and joined
破棄した　日ソ中立条約　　　　　　　　　　　　　　　参戦した

the war. ⑪ Japan decided to accept the Potsdam
　　　　　　　　　　　　　　　　　　　受諾した

Declaration on August 14.

90. ポツダム宣言と太平洋戦争の終結

①1944 年からは B 29 大型爆撃機による日本本土への空襲が本格化しました。②1945 年 3 月、東京が焼夷弾（しょういだん）による無差別攻撃を受け（**東京大空襲**）、東京は焼け野原となりました。③約 10 万人が犠牲になりました。④連合国軍は沖縄（おきなわ）に上陸しました。
⑤日本軍は中学生や女学生まで動員して戦いましたが敗れました。⑥12 万人以上の住民が犠牲になりました。
⑦1945 年 7 月には、アメリカのトルーマン、イギリスのチャーチル（のちアトリー）、ソ連のスターリンがドイツのポツダムで会談し、日本の無条件降伏（むじょうけんこうふく）を求める**ポツダム宣言**を発表して日本に呼びかけました。⑧しかし、日本はこれに応じず、アメリカは戦争の早期終結を目的に、1945 年 8 月 6 日に広島、9 日に長崎に**原子爆弾**（げんしばくだん）を投下しました。⑨あわせて 30 万人以上の犠牲者を出しました。⑩8 月 8 日にはソ連が中立条約を破棄して参戦しました。⑪日本政府は、8 月 14 日にポツダム宣言受諾（じゅだく）を決めました。

Birds
鳥

Do water birds really make a loud sound
when they flap their wings?
水鳥の羽音ってそんなに大きい？

Birds are animals which appear at various times throughout history. One is the white bird legend of Yamato Takeru no Mikoto in *The Chronicles of Japan*. It is said that after passing away in Ise on his way home from a battle in the east, Yamato Takeru no Mikoto turned into a white bird and flew to Furuichi-no-mura in Kawachi (present-day Habikino City, Osaka Prefecture).

There is a well-known scene from the Genpei War's Battle of Fujikawa. In 1180, the army of Minamoto no Yoritomo, who had marched from Izu, and the army of Commander Taira no Koremori, who had come from the capital to defeat Yoritomo, were about to face off at the Fujikawa River. Then on October 20th, as Kai-Genji clan's Takeda Nobuyoshi and his army came from behind in the middle of the night, the water birds all took flight together and the Taira clan's army mistook the sound of the birds' flapping wings as that of the enemy army attacking. This caused the Taira clan's army to flee without fighting and it ended in their total defeat.

There are also the famous senryu poems which use the lesser cuckoo to describe the personalities of Oda Nobunaga, Toyotomi Hideyoshi, and Tokugawa Ieyasu, respectively. They read:

If the lesser cuckoo doesn't sing, kill it.
If the lesser cuckoo doesn't sing, try to make it sing.
If the lesser cuckoo doesn't sing, wait until it sings.

歴史のさまざまな場面で登場する動物の一つに「鳥」がいます。『日本書紀』に残るヤマトタケルノミコトの白鳥伝説。ヤマトタケルノミコトは、東国での戦いの帰り道、伊勢の地で亡くなると、白鳥に姿を変え河内の旧市邑（現在の大阪府羽曳野市）に降り立ったといわれています。

源平の合戦では、富士川の戦いのエピソードが知られています。1180年、伊豆から兵を進めてきた源頼朝の軍と、頼朝を討つために京から下ってきた平維盛を総大将とする平氏の軍が富士川をはさんで対峙しました。10月20日夜半、甲斐源氏の武田信義の軍が平氏軍の背後に進んだところ、水鳥がいっせいに飛び立ち、その羽音を敵軍の来襲と勘違いして平氏軍は総崩れとなり戦わずして敗走したのです。

また、織田信長、豊臣秀吉、徳川家康の性格を「時鳥」を用いて表した有名な言葉もあります。すなわち、「鳴かぬなら殺してしまえホトトギス」「鳴かぬなら鳴かせてみようホトトギス」「鳴かぬなら鳴くまで待とうホトトギス」です。

Chapter 5

Present Times

Global Society and Japan

《第5章》
現代
グローバル社会と日本

91. Post-war Japan

① The U.S. led allied forces were stationed in Japan.
アメリカを中心とする連合国軍　　　進駐した

② The Japanese government carried out the government
行なった　　　政治

under the eye of the General Headquarters of the Allied
〜の監視下で　　　連合国軍最高司令官総司令部

Forces (GHQ), whose commander was MacArthur.
司令官　　　マッカーサー

③ The GHQ put a lot of reforms into effect in order to
多くの改革を実行した

abolish militarism and establish a democracy. ④ The
軍国主義を廃絶する　　　民主主義を確立する

military was disbanded and war leaders were punished
解散された　　　処罰された

as war criminals. ⑤ The Emperor denied being a descendant
戦争犯罪人として　　　否定した　神の子孫であること

of God (the Humanity Declaration).
人間宣言

⑥ The GHQ made a draft of the Constitution and the
憲法の草稿

government amended it. ⑦ The Constitution of Japan
改正した　　　日本国憲法

went into effect on May 3, 1947. ⑧ It has three broad
施行された　　　三大原則

principles: Sovereignty with the people, Respect for
国民主権　　　基本的人権の尊重

fundamental human rights and Pacifism.
平和主義

⑨ The GHQ broke up the *zaibatsu business conglomerates
解体した　　財閥（←企業複合体［コングロマリット］）

in the name of economic liberalization.
経済の　　　自由化

*zaibatsu（財閥）は日本史について英語圏で話す際、新英単語として定着している。

⑩The GHQ carried out farmland reforms whereby the
　　　　　実行した　　　農地　　　改革

national government bought land from the land owners
国(←中央政府)　　　　　　　　土地　　　　　　地主

and then sold it over to share croppers at a cheap
　　　　　売り渡した　　　　小作人　　　　　　安い

price. ⑪In doing so, the master-servant relationship
価格　　　　　　　　　　　主従関係

between the land owners and share croppers ended.
~と…の間の

91. 戦後の日本

①日本には、アメリカを中心とする連合国軍が進駐しました。
②マッカーサーを最高司令官とする**連合国軍最高司令官総司令部（GHQ）**のもとに日本政府が政治を行ないました。
③ＧＨＱは軍国主義を廃絶し、民主主義を定着させることを目的に、多くの改革を実行しました。④軍隊は解散され、戦争の指導者は戦争犯罪人として処罰されました。⑤天皇は、神の子孫であることを否定しました（**人間宣言**）。
⑥憲法はＧＨＱの案をもとに改正されました。⑦**日本国憲法**が1947年5月3日より施行されました。⑧それは国民主権、基本的人権の尊重、平和主義を三大原則とするものです。
⑨ＧＨＱは経済の自由化を名目に**財閥解体**を行ないました。
⑩ＧＨＱは**農地改革**を断行し、地主の土地を国が買い取って小作人に安く売り渡しました。⑪これにより、地主と小作人の主従的な関係は解消しました。

92. The US-Japan Security Treaty

① In 1951, Prime Minister *Yoshida Shigeru* attended the
　　　　　　　 首相　　　　　　　 吉田茂　　　　　出席した

Japanese Peace Conference held in San Francisco
　　　　　　　　　　　　　　　 開かれた　　サンフランシスコ

as the chief delegate.
〜として 首席全権(←代表者)

② Japan concluded the San Francisco Peace Treaty
　　　　　 締結した　　　サンフランシスコ平和条約

with 48 countries, including the United States and the
　　　　　　　　　　　〜を含む　　　　アメリカ

United Kingdom.
イギリス

③ The peace treaty, going into effect on April 28th of
　　　　平和条約　　　発効し

1952, meant the end of the Allied occupation of Japan
　　　 意味した　 終わり　　　連合国の 占領

and the recovery of Japan's independence.
　　　 回復　　　　　　　 独立

④ Along with the peace treaty, the US-Japan Security
〜と同時に　　　　　　　　　　日米安全保障条約

Treaty was concluded with the United States.

⑤ Japan allowed the United States military to be
　　　 〜に…することを認めた　　　　　　 軍

stationed in Japan and provided military bases.
駐留される　　　　　　　提供した　軍事基地

⑥ The United States military, in Japan as occupation
　　　　　　　　　　　　　　　　　　　　　　　　占領軍

forces, remained as stationed forces.
　　　　留まった　　　 駐留軍

⑦ In 1960, the *Kishi Nobusuke* Cabinet proceeded with
　　　　　　　 岸信介内閣　　　　　進めた

a revision to the US-Japan Security Treaty
　改定

(Security Treaty).
　安保条約

⑧There was a campaign against the Security Treaty
　〜があった　　闘争　　〜に対する

revision due to it being too favorable to the military
　　　〜のために　　　〜すぎる　好意的　　　　　　　　軍事同盟

alliance.

⑨ Kishi resigned from his cabinet after the New
　　　　退いた　　　　　　　　内閣

Security Treaty went into effect.

---

92. 日米安全保障条約

①1951年、**サンフランシスコ**で開かれた対日講和会議に**吉田茂**首相が首席全権として出席しました。②日本は、アメリカ・イギリスなど48か国と**サンフランシスコ平和条約**を締結しました。③平和条約は1952年4月28日発効し、連合国の日本占領が終わり、日本は独立を回復しました。④平和条約と同時に、アメリカと**日米安全保障条約**が結ばれました。⑤日本はアメリカ軍の日本駐留を認め、軍事基地を提供しました。⑥占領軍として日本にいたアメリカ軍は、駐留軍として留まりました。⑦1960年、**岸信介**内閣は日米安全保障条約（安保条約）の改定を進めました。⑧改定の内容がより軍事同盟的だったため、安保条約改定に反対する安保闘争が起こりました。⑨新安保条約発効後、岸内閣は退陣しました。

93. The Soviet-Japan Joint Declaration

①In October of 1956, the Soviet-Japan Joint Declaration
日ソ共同宣言

between Japan and the Soviet Union was signed.
～と…の間の   ソ連   調印された

②Accordingly, the diplomatic relations between Japan
これにより   国交

and the Soviet Union were restored.
回復された

③ Japan's admission to the United Nations was not
加盟   国際連合   実現されなかった

realized because the Soviet Union, a permanent
～なので   常任理事国

member of the Security Council, had denied it.
安全保障理事会   拒んできた

④However, by restoring diplomatic relations, Japan
しかし   回復すること

was able to gain the approval of the Soviet Union and
～することができた 得る 支持

its admission to the United Nations was realized in

December of 1956.

⑤Nevertheless, Japan and the Soviet Union entered
一方   ～を結んだ

into diplomatic relations while leaving issues such as
～しながら ～を…のままにしておく 問題 ～など

the Northern Territories unsettled.
北方領土   解決されていない

⑥In the Soviet-Japan Joint Declaration, it is specified
明記されている

that the Soviet Union shall return the islands of
返還する   島

Habomai and *Shikotan* to Japan after a peace treaty
歯舞　　　　　　色丹　　　　　　　～したあと　平和条約

is concluded.
締結される

⑦ However, having not concluded the peace treaty, the
締結されていないので

Northern Territories dispute, including the islands of
問題　　　　　　～を含んだ

Kunashiri and *Etorofu*, remains unsettled.
国後　　　　　　択捉

---

93. 日ソ共同宣言

①1956年10月、日本とソ連との間で**日ソ共同宣言**が調印されました。②これにより、ソ連との国交が回復しました。③日本の国際連合への加盟は、安全保障理事会の常任理事国であるソ連が拒んでいたため、実現しませんでした。④しかし、国交回復により、ソ連の支持を得ることができ、1956年12月に日本の**国連加盟が実現**しました。⑤一方、日本とソ連は**北方領土**など未解決の問題を残したまま国交を結びました。⑥日ソ共同宣言には、平和約を締結したあと、ソ連は日本に**歯舞群島**と**色丹島**を返還すると明記されています。⑦しかし、平和約は結ばれず、択捉島と国後島を含めた北方領土問題は未解決のまま残されています。

94. The China-Japan Treaty of Peace and Friendship

① In 1972, Prime Minister *Tanaka Kakuei*,
田中角栄首相
together
〜とともに
with Foreign Minister *Ohira Masayoshi*, visited the
大平正芳外相
訪問した
People's Republic of China(China).
中華人民共和国(中国)
② Thereafter, the
そして
China-Japan Joint Statement between Japan and the
日中共同声明
〜と…の間の
People's Republic of China was released.
発表された
③ In this statement, Japan reflected on its past
声明
反省した
過去の
wartime responsibility and normalized China-Japan
戦争責任
正常化した
日中の
diplomatic relations.
国交
④ In addition, Japan recognized the People's Republic of
また
認めた
China government as China's only legitimate
政府
〜として
唯一の
合法的な
government.

⑤ They also agreed to engage in negotiations with the
〜もまた
合意した
〜に従事する
交渉
〜を伴う
aim of concluding the Treaty of Peace and Friendship.
目的
締結すること
平和友好条約
⑥ To commemorate the announcement of the China-
記念する
発表
Japan Joint Statement, Japan was presented with two
贈られた
pandas from China for the first time.
初めて

⑦Negotiations to conclude the Treaty of Peace and
　　　　　　　　　　締結する

Friendship ran into difficulty.
　　　　　　　　～にぶつかった　困難

⑧ As a result of persistent negotiations, the China-
　～の結果として　　粘り強い

Japan Treaty of Peace and Friendship was signed in
　　　　　日中平和友好条約　　　　　　　　　　　　　　調印された

Beijing under the *Fukuda Takeo* cabinet in 1978.
北京　　～のもとで　　福田赳夫内閣

94. 日中平和友好条約

①1972年、田中角栄首相は大平正芳外相とともに中華人民共
和国（中国）を訪問しました。②そして日本と中華人民共和国
との間で日中共同声明が出されました。③この声明で、日本は
過去の戦争責任を反省し、日中の国交が正常化しました。④ま
た日本は、中華人民共和国政府を中国の唯一の合法政府と認め
ました。⑤平和友好条約の締結を目的とした交渉を行なうこと
にも合意しました。⑥日中共同声明の発表を記念して、中国か
ら日本に初めて2頭のパンダが贈られました。⑦平和友好条約
締結のための交渉は難航しました。⑧粘り強い交渉の結果、
1978年福田赳夫内閣のもと、北京で日中平和友好条約が調印
されました。

95. The Establishment of Japan Railways and the Introduction of Consumption Tax

① The *Nakasone Yasuhiro* cabinet undertook the
中曽根康弘内閣　　　　　　　　　　　着手した

privatization of government enterprises.
民営化　　　　　　　国営企業

② In 1985, the Nippon Telegraph and Telephone Public
電電公社

Corporation and the Japan Tobacco and Salt Public
専売公社

Corporation were both privatized, becoming Nippon
両方とも民営化された

Telegraph and Telephone Corporation(NTT) and
日本電信電話

Japan Tobacco Inc.(JT), respectively.
日本たばこ産業　　　　　　それぞれ

③ In 1987, Japan National Railways(National Railways)
日本国有鉄道　　　　　　国鉄

was divided and privatized, establishing the separate
分割された　　　　　　　　発足した　　　　別個の

companies of *JR Hokkaido*, *JR East*, *JR Central*, *JR*
JR北海道　　　　　JR東日本　　JR東海　　　JR西日本

West, *JR Shikoku*, *JR Kyushu* and JR Freight.
JR四国　　　JR九州　　　　　JR貨物

④ The Consumption Tax Law was passed during the
消費税法　　　　　　　　成立した　　〜の間に

Takeshita Noboru cabinet in 1988.
竹下登内閣

⑤ In 1989, a consumption tax was introduced by
消費税　　　　　　導入された

uniformly placing a tax of 3% on the price of goods and
一律に　　　課すこと　税　　　　　　　価格　　商品

services.
サービス

⑥The <u>aim</u> of <u>introducing</u> a consumption tax was to
　　　目的　　　導入すること

<u>secure</u> a <u>stable</u> <u>source of revenue</u> for <u>social services</u>
確保する　　安定した　　財源　　　　　　　福祉

as the <u>birthrate</u> <u>declines</u> and the <u>population</u> <u>ages</u>.
〜するにつれて 出生率　低下する　　　　　人口　　　　高齢化する

⑦<u>Since then</u>, the consumption tax <u>rate</u> <u>was raised to</u>
その後　　　　　　　　　　　　　　　　率　　引き上げられた

5% in 1997, 8% in 2014 and 10% in 2019, respectively.

95. JR発足・消費税導入

①**中曽根康弘**内閣は、国営企業の民営化に着手しました。
②1985年には電電公社、専売公社がそれぞれ民営化され、**日本電信電話（NTT）、日本たばこ産業（JT）**になりました。
③1987年には、日本国有鉄道（国鉄）が分割民営化され、JR北海道・JR東日本・JR東海・JR西日本・JR四国・JR九州・JR貨物の各社が発足しました。④1988年、**竹下登**内閣のときに消費税法が成立しました。⑤1989年、商品やサービスの価格に一律3％を課税する消費税が導入されました。⑥消費税導入の目的は、少子高齢化が進行し、福祉財源を安定的に確保するためでした。⑦その後、消費税率は1997年に5％、2014年に8％、2019年に10％に引き上げられました。

96. The Collapse of the Bubble Economy

① In 1985, the United States was suffering from a
アメリカ　　　　　　　　～に悩んでいた
trade deficit due to the strength of the dollar.
貿易赤字　　～のために　　ドル高

② The five countries of the United States, France, the

United Kingdom, West Germany and Japan cooperated in
イギリス　　　　西ドイツ　　　　　　　　協調した
conducting a dollar-selling intervention (Plaza
行なうこと　　　ドル売り　　　介入　　　　　　プラザ合意
Accord).

③ As a result, the value of the yen rose sharply and
その結果　　　価値　　　　　円　上がった 急激に
Japan went into a recession due to a slump in exports.
～になった　　不況　　　　　　　　不振　　輸出

④ The government carried out drastic monetary easing,
政府　　　　実施した　　大幅な　金融緩和
such as lowering the official bank rate.
～など　　　　　　　公定歩合

⑤ Businesses which received low-interest loans put
企業　　　　　　　　　受けた　　低い金利　　融資 ～を投入した
funds into purchasing things such as stocks and real
資金　　　購入すること　　　　　　　　株式　　　　土地
estate in addition to capital investment.
　　　～に加えて　　設備投資

⑥ The prices of stocks and land soared accordingly.
価格　　　　　　　　　　　　高騰した それに応じて

⑦ In January of 1989, Emperor Showa(*Hirohito*)
昭和天皇　　　　　裕仁
passed away.
崩御した

⑧ In the same year, the Bank of Japan shifted to
　　　　　　　　　日本銀行　　　　　　転じた
monetary tightening, gradually raising the official bank
金融引き締め　　　　　段階的に　引き上げた
rate.

⑨ In 1990, restrictions were put on the total loan
　　　　　　規制　　　行なわれた　　　　　融資の総量
volume of real estate lending.
　　　　　　　　　　　　貸すこと

⑩ Consequently, the prices of stocks and land
　その結果
plunged and the bubble economy collapsed.
暴落した　　　　　　バブル経済　　　崩壊した

---

96. バブル崩壊

①1985年、アメリカはドル高による貿易赤字に悩んでいました。
②米・仏・英・西独・日の5か国は協調してドル売り介入を行ないました（**プラザ合意**）。③その結果、急激な円高が進行し、日本は輸出不振による不況となりました。④政府は公定歩合の引き下げなど大幅な金融緩和を実施しました。⑤低い金利で融資を受けた企業などは、資金を設備投資のほか、株式や土地の購入に投入しました。⑥これにより、株価や地価が高騰しました。⑦1989年1月、昭和天皇（裕仁）が崩御しました。⑧同じ年、日本銀行は金融引き締めに転じ、公定歩合を段階的に引き上げました。⑨1990年には土地の融資について制約を加える**総量規制**が行なわれました。⑩これらにより、株価や地価が暴落し、**バブル経済**は崩壊しました。

① On January 17th of 1995, there was a major earthquake
　　　　　　　　　　　　　　　　　～があった　　大きな　地震
spanning from northern *Awaji* Island to *Kobe* and
～にかけて　　～から…まで　淡路島北部
Nishinomiya. ② It was recorded at a magnitude of 7.3
　　　　　　　　　　　記録された　　　　マグニチュード
and a seismic intensity of the highest level 7.
サイズミック
　　　震度　　　　　　　　　　　最高の

③ Because a large city was hit directly by a major
　　～なので　　都市　襲われた　直接に
earthquake, it brought about extensive damage
　　　　　　　　～をもたらした　　大きな　　被害
accompanied by fires throughout the area.
伴われた　　　　火災　～じゅうで　　地域

④ This is called the Great *Hanshin-Awaji* Earthquake.
　　　　　　～と呼ばれる　阪神淡路大震災

⑤ On March 11th of 2011, there was a massive
　　　　　　　　　　　　　　　　　　　巨大な
earthquake with its center off the *Tohoku* region's
　　　　　　～がある　震源　～沖　東北地方
Sanriku coast (the Great East Japan Earthquake).
三陸海岸　　　　　東日本大震災

⑥ As the largest earthquake ever recorded in Japan with
　　～したので　最大の　　　　　今までで
a magnitude of 9.0 and a seismic intensity of the
highest level 7, the vast area spanning from *Tohoku* to
　　　　　　　　　　広い
the prefectures of the *Kanto* Region was hit by violent
　　　県　　　　　　　関東地方　　　　　　　　激しい
shaking.
揺れ

212

⑦ The Pacific coastline, mainly *Iwate*, *Miyagi* and
　　太平洋沿岸部　　　　　主に
Fukushima Prefectures, was struck by a giant *tsunami*
　　　　　　　　　　　　 襲われた　　　　　巨大な　津波
and suffered immense damage.
　　　　苦しんだ　　甚大な

⑧ *Fukushima Daiichi* Nuclear Power Plant was also
　　福島第一原子力発電所　　　　　　　　　　　　　 〜もまた
struck by a giant tsunami, causing a serious nuclear
　　　　　　　　　　　　　引き起こした　重大な　　原発事故
accident.

97. 阪神・淡路大震災と東日本大震災

①1995 年 1 月 17 日、淡路島北部から神戸市、西宮市にかけて大きな地震が発生しました。②マグニチュード 7.3、最大震度7 を記録しました。③大都市を襲った直下型大地震だったため、各地で火災も発生し、大きな被害をもたらしました。④これを**阪神・淡路大震災**といいます。⑤2011 年 3 月 11 日には、東北地方の三陸沖を震源とする巨大地震が発生しました（**東日本大震災**）。⑥国内観測史上最大のマグニチュード 9.0、最大震度7 を記録し、東北から関東地方各県にわたる広い範囲が激しい揺れに襲われました。⑦岩手県、宮城県、福島県を中心とした太平洋沿岸部は巨大な津波に襲われ、甚大な被害にみまわれました。⑧福島第一原子力発電所も大津波に襲われ、重大な原発事故が発生しました。

98. From Heisei into Reiwa

(1) In 2016, an amended Public Offices Election Act was
改正された　公職選挙法

put into effect, lowering the voting age from 20 to 18
施行された(←実行に移された)　引き下げた　投票　年齢

years old. (2) It had been about 70 years since the voting
約70年経った　～して以来

age was last lowered. (3) In August of 2016, Emperor
最後に　天皇

Akihito (currently a retired emperor) stated his plan to
現在は　上皇(←引退した天皇)　述べた

step down as emperor. (4) In April of 2019, it was
～の地位を下りる

announced that *Reiwa* would be the new imperial era
発表された　元号(←天皇の時代の名前)

name to replace *Heisei*. (5) In May of 2019, Emperor
～にとって代わる

Naruhito was enthroned, and the *Reiwa* era began.
即位した　始まった

(6) In December of 2019, someone in Wuhan, China was
誰か(不特定の人物)　武漢

found to be infected with a novel coronavirus, which
発見された　～に感染している　新型コロナウイルス

then became a global outbreak known as a pandemic
世界的な　流行　～として知られる　パンデミック

after only a few months. (7) Impacted by the COVID-19
少しの　影響を受けて　新型コロナウイルス

pandemic, the Tokyo 2020 Olympic and Paralympic
2020東京オリンピック・パラリンピック競技大会

Games were postponed one year before being held in
延期された　～の1年前に　開催される

2021. (8) In 2022, Russia began an invasion of Ukraine,
侵攻　ウクライナ

casting a shadow over Japan and the entire world.
投げかけた　影　　　　　　　　　　　　　全体の

98. 平成から令和へ

① 2016 年に**改正公職選挙法**が施行され、選挙権が 20 歳から 18 歳に引き下げられました。② 選挙権年齢が引き下げられたのは約 70 年ぶりでした。③ 2016 年 8 月、天皇（明仁）＝現在の上皇が、**生前退位**の意向を示されました。④ 2019 年 4 月、平成に変わる新しい元号を**令和**とすることが発表されました。⑤ 2019 年 5 月、天皇（徳仁）が即位し、令和の時代が始まりました。⑥ 2019 年 12 月に中国の武漢で**新型コロナウイルス**感染者が発見され、わずか数か月で**パンデミック**とよばれる世界的な流行となりました。⑦ 2020 年**東京オリンピック・パラリンピック競技大会**がコロナ禍の影響で 1 年延期され、2021 年に開催されました。⑧ 2022 年、ロシアが**ウクライナに侵攻**を開始し、日本を含めて世界中に深刻な影を落としました。

監　修　者

中西康裕 （なかにし　やすひろ）

1957年大阪府生まれ。
関西学院大学・同大学院を経て、現在、関西学院大学文学部教授。
文化歴史学科にて日本古代史を研究。古代国家の成立過程や古代
の基本史料六国史の検討、河内の歴史の解明を主に研究している。
著書に『新版 英語対訳で読む日本史の有名人』（実業之日本社／監
修）、『続日本紀と奈良朝の政変』（吉川弘文館）ほかがある。

英 文 監 訳 者

Gregory Patton （グレゴリー・パットン）

1965年米国ワシントンD.C.生まれ。コロラド大学卒業後来日、英会話
学校講師を経て、現在、公立小・中学校外国語講師。
著書に『新版 英語対訳で読む日本史の有名人』（実業之日本社／英
文監訳）などがある。

※本書は2008年8月に小社より刊行された『英語対訳で読む日本の歴史』を加筆・再編
　集したものです。

じっぴコンパクト新書　400

新版 意外に面白い！ 簡単に理解できる！
英語対訳で読む日本の歴史
The Japanese History in Simple English (New Edition)

2023年 1月26日　初版第1刷発行

監修者……………中西康裕
英文監訳者………Gregory Patton
発行者……………岩野裕一
発行所……………株式会社実業之日本社
　　　　　　　　　〒107-0062
　　　　　　　　　東京都港区南青山5-4-30
　　　　　　　　　emergence aoyama complex 3F
　　　　　　　　　電話（編集・販売）03-6809-0495
　　　　　　　　　https://www.j-n.co.jp/
印刷・製本…………大日本印刷株式会社

©MY PLAN 2023 Printed in Japan
ISBN978-4-408-42128-5（書籍管理）